CB049019

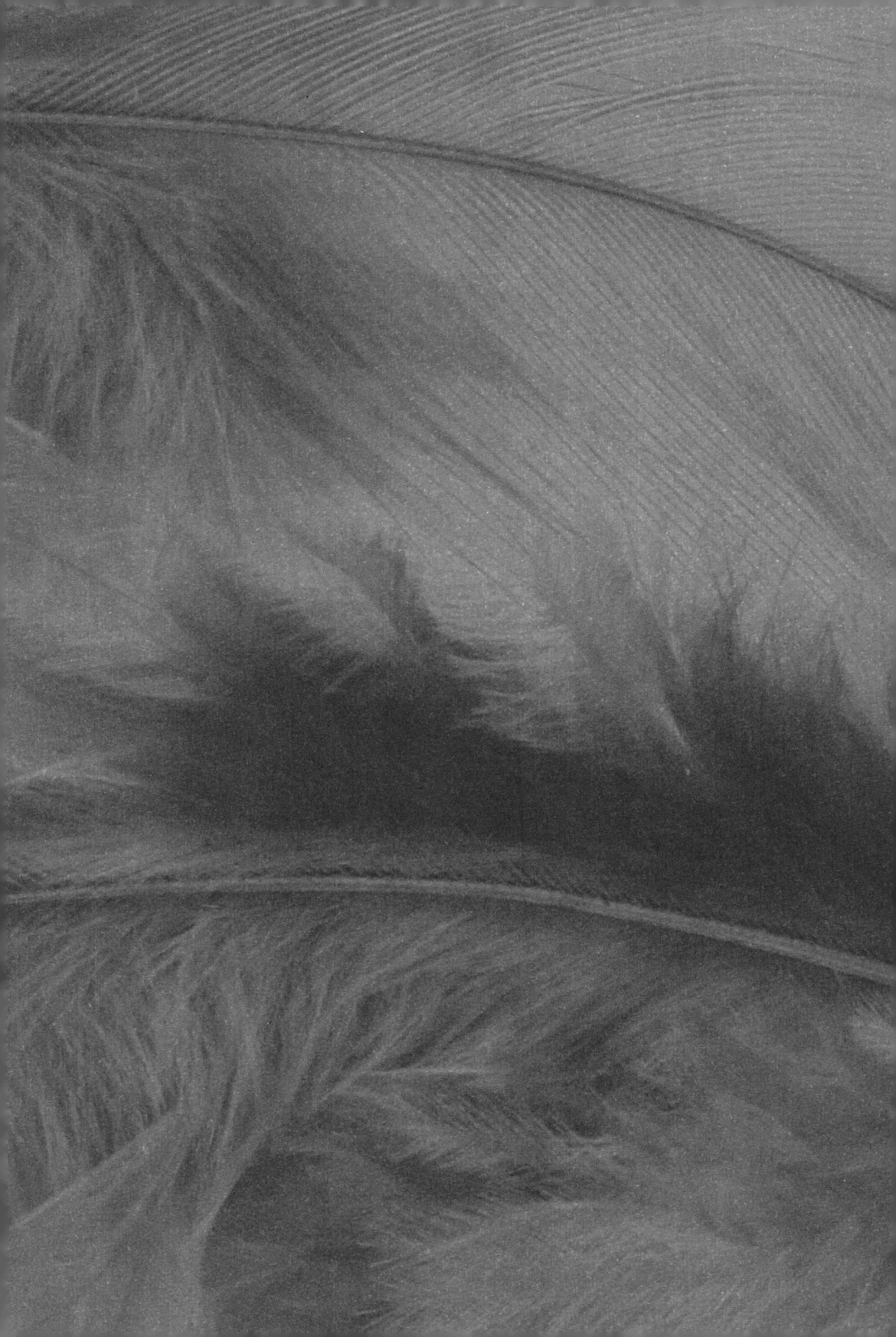

as

Bem

e outras belezas
espirituais

Aventuranças

as Bem Aventuranças

e outras belezas espirituais

ANDRÉ LUIZ PEIXINHO

CATANDUVA, SP, 2018

InterVidas

Sumário

à Guisa de Prefácio

À GUISA DE
à maneira de;
com a função de

PREFÁCIO
texto preliminar
de apresentação

MEU ENCONTRO COM OS ENSINOS EVANGÉLI-cos datam dos primeiros tempos de frequência infantil às aulas de moral cristã no Centro Espírita Deus, Cristo e Caridade, em Serrinha, na Bahia, durante as quais, deslumbrado, assistia à explanação da evangelizadora Eneida Ferreira. Eneida ilustrava com gravuras os ditos do Divino Mestre, apoiada num flanelógrafo, recurso didático sumamente avançado para a época... Ou, ainda, das reuniões familiares semanais chamadas "serões" – hoje, culto evangélico no lar –, quando também ouvia ou lia histórias do menino Jesus.

Logo depois, vieram os encontros juvenis e as reuniões de estudos da Boa-nova aos domingos, seguidos de exercícios de meditação e percepções espirituais que multiplicavam as interpretações e as tornavam mais transcendentais. Desde então, compreendi que esses ensinos – abstraídas as querelas –, as leituras dogmáticas e as tentativas de compreensão por meio da história humana falavam da verdadeira natureza do ser – divina criação espiritual – e da sua finalidade na terra: a união com Deus.

FLANELÓGRAFO
quadro revestido de flanela, feltro ou similar, no qual se inserem figuras, usado por professores em aulas

SERÃO
trabalho ou tarefa extraordinária, feita à noite

BOA-NOVA
Evangelho

TRANSCENDENTAL
que ultrapassa os limites físicos; superior, sublime

QUERELA
debate, discussão

DOGMÁTICO
que se apresenta com caráter de certeza absoluta

Ao deslocar-me para Salvador, a fim de dar continuidade aos estudos, fui conviver com os jovens do Centro Espírita Caminho da Redenção, e, durante quase três décadas, aprofundamos esses estudos como parte de um projeto de crescimento existencial, trabalhando os textos mais significativos, ora por meio da arte, ora por meio da experiência espiritual, ora pela leitura comparada.

PERPASSAR
avançar

Por muitos estudiosos, nossas vistas perpassaram, na tentativa de apreender, dentro do possível, a missão crística na Terra, fosse por meio da sua história palestina, fosse por meio da consecução de uma história transcendental além do tempo: Kardec, Denis, Sayão, Vinícius, Rodolfo Calligaris, Joanna de Ângelis, Neio Lúcio, Wallace Rodrigues, Emmanuel, Hermínio Miranda, Pastorino – para citar alguns nomes mais conhecidos dos arraiais espíritas; Renan, Emmet Fox, Chardin, dentre os não espíritas, foram alguns dos autores consultados.

ARRAIAL
meio; grupo

Nossa preferência em termos de leitura, entretanto, recaiu sobre autores que trataram de uma forma mais poética o tema em pauta. Refiro-me particularmente a Amélia Rodrigues e seus inesquecíveis escritos evangélicos, a começar pela obra *Primícias do reino*, psicografia de Divaldo Franco; a Humberto de Campos, escritor brasileiro de fama em assuntos do cotidiano, transformado em impagável repórter espiritual de eventos da vida do Cristo no seu *Boa nova*, psicografado por Chico Xavier; ao poeta do Líbano, Gibran Khalil Gibran, doce como uma flauta em seu *Jesus, o filho do Homem*; e, principalmente, à contribuição de Plínio Salgado, político do Partido Integralista que, exilado por Getúlio Vargas, transformou-se em sociólogo e psicólogo de alto coturno, fazendo a mais primorosa reconstituição histórica e espiritual com o seu precioso livro *A vida de Jesus*.

Decorrido mais de meio século, continuamos criando, nas entidades espíritas em que militamos, espaços-tempo para saborear, "ao pé do fogo evangélico", os frutos sazonados dos exemplos dos primeiros cristãos. Nesses encontros, que nos fazem transcender a racionalidade de outros estudos e nos projetam em direção ao numinoso, conseguimos reconhecer, na augusta figura do Cristo, o cocriador de nosso Cosmo, que, como luz do mundo, nos atrai para a consciência divina e a felicidade do reino dos céus. Mais que o curador e o consolador dos dramas humanos, nEle identificamos o caminho, a verdade e a vida para se chegar à plena união com Deus. E como aprendemos com Mahatma Gandhi, o *Sermão da montanha* encerra lições suficientes para transformar a história da humanidade, elevando-a à tão sonhada civilização dos valores do espírito.

Tocados por essas influências, escrevemos a nossa contribuição para a divulgação de tão belo cântico de redenção e de outros momentos significativos entre mestres e discípulos, na busca de Deus com os parcos recursos de nossa percepção poética e literária.

Que estas páginas signifiquem momentos especiais de busca iluminativa para todos.

— O AUTOR

Agradecimentos

ESTA OBRA* SE TORNOU TORNOU POSSÍVEL GRA-ças à colaboração significativa de Edinólia Peixinho, nossa dedicada e permanente analista de textos; de Priscila Fiorindo, Constâncio Fonseca, André Marcílio Carvalho de Azevedo e Beatriz Rocha na revisão final; de Eide Menezes e Ary Dourado, *designers* gráficos; de Ruth Brasil Mesquita, inspiradora da ideia desta publicação; e de nossos companheiros da Sociedade Hólon e da Federação Espírita do Estado da Bahia, os mais assíduos partícipes das reflexões e experimentos evangélicos nos últimos anos.

A todos, nosso preito de gratidão.

DESIGNER GRÁFICO especialista que trabalha com *design* gráfico [conjunto de conceitos estéticos, técnicas e processos usados na criação e desenvolvimento de representações visuais de ideias, mensagens, entidades etc.]; profissional responsável pela formatação gráfica de um livro

PREITO manifestação de respeito; homenagem

---

* Textos originalmente publicados no jornal *A Tarde*, da cidade de Salvador, BA, e enfeixados neste livro após ajustes e revisão.

Homenagem

A mestra e a aprendiz do Evangelho

Inquieta com os rumos da civilização
Bem distantes dos desígnios cristãos,
A aprendiz do Evangelho
Decidiu buscar sua antiga mestra.
E com o olhar ansioso,
Em busca do vinho capitoso da verdadeira sabedoria,
Que se acostumara a receber dos seus
lábios em tempos idos,
Encontrou-a em sua nobre atividade educadora.
E na primeira oportunidade,
Falou-lhe, então, sem rodeios,
Com a franqueza lirial de seus sonhos:
Tenho levado uma vida como a religiosa Clarisse,
Lembrando a função augusta do sacramento
Que recebi dos meus ancestrais.

A cada ano espero a natividade como
    um presente dos céus,
Ansiando por um mundo de amor
Que aguardo desde a alvorada dos meus quereres,
Mas como uma inquieta Fausta –
personagem insatisfeita, em busca de algo mais –
Pergunto-me: quando verei o reino
    dos céus implantado na Terra?
Será... quando voltar a primavera,
    como afirmam alguns poetas,
Ou esta é uma ilusão de ingênuos?
Se bem me queres, mestra,
Liberta-me dessa dúvida atroz
Que me atormenta na vigília e no adormecer.

A mestra, maternal e sábia,
Fitou-a com a ternura de um plenilúnio
E a clareza de um meio-dia.
Então, disse-lhe, sem pressa:
Tendes andado pelos caminhos de Jesus,
Conforme as lições da religiosidade,
Onde dominam as tradições e os ritos exteriores
E não compreendem em plenitude
Que Ele é a luz do mundo.

Ao nos trazer a mensagem do amor imortal,
Propondo que fôssemos seus discípulos,
Pretendia nos transportar
Do tempo para a eternidade.

A primavera é um símbolo
Que une o efêmero ao permanente,
Pois quando há flores no caminho,
Suas formas falam da estesia do transitório
E seu perfume constrói a memória do eterno.

Para que esses dias venturosos
Sejam presença na Terra,
O discípulo deve se dedicar
À grande tarefa de educar-se,
Entregando-se às leis da vida,
E, como um trigo de Deus,
Deixar-se moer até a extrema pureza
E assim ser conduzido
Ao fogo sagrado das provas do mundo,
Para ser o precioso alimento
Da esperança e da plena realização.

PRIMÍCIAS
primeiros fru-
tos; primeiros
sentimentos

Para que as <u>primícias</u> do reino
Se instalem e sejam percebidas,
É passo insubstituível
Ser o vencedor de si mesmo
E o semeador da presença de Deus,
Até o fim dos tempos,
Em todos os recantos da civilização.

Encantada, a aprendiz intuiu
Que as formas religiosas
São auxílios preciosos
Na caminhada para a bem-aventurança,
Mas não dispensam
O trabalho pessoal da renovação.
E concluiu, de si para si:
Sou eu, também, artífice do reino dos céus,
A cocriadora da civilização do amor

ÂMAGO
íntimo; essência

Que começa no <u>âmago</u> do meu ser
E que, unida a outros seres,
Estende-se até a borda do infinito.

Desde então, silenciadas as inquietações,
Despendeu toda a sua energia
Em realizar a perfeição de Deus
Presente em si mesma,
A todo instante e em cada ação.[†]

---

† Texto composto em homenagem ao trabalho de Amélia Rodrigues e a sua obra literária. Nele são citadas **produções em vida corporal**: *Religiosa Clarisse*; *A natividade*; e *Bem-me-queres*; e **produções psicografadas:** *Quando voltar a primavera*; *Pelos caminhos de Jesus*; *A luz do mundo*; *A mensagem do amor imortal*; *Há flores no caminho*; *Dias venturosos*; *Trigo de Deus*; *Primícias do reino*; *O vencedor*; *O semeador*; *Até o fim dos tempos*; e *Sou eu*. Destaque-se a citação especial – augusta do sacramento –, parte do nome completo da escritora Amélia Augusta do Sacramento Rodrigues.

Primeira parte

as Bem Aventuranças

I

Bem-Aventurados os Pobres de Espírito...

E A MULTIDÃO AFLUIU EM MAGOTES À ESPLAnada que, em forma de terraço, se abria junto ao monte sem nome.

Já era hora do entardecer quando Ele galgou um altiplano, iluminou-se de poente e contemplou aquele sem número de pessoas que, em esperançosa expectativa, aguardava o verbo esclarecedor.

E entre os ruídos da natureza, na quase noite, irmã do mistério, ouviu-se Sua voz doce e enérgica:

— Bem-aventurados... Bem-aventurados...

À simples pronúncia de tais palavras, almas aflitas e sequiosas de paz, corações dilacerados e inquietos, mentes agitadas e confusas, subitamente se realinharam.

Em sintonia mais elevada, assimilaram saberes e sentires que provinham do mais elevado, num circuito psíquico de palavras e silêncios que se completavam em escutas e reflexões...

— [...] os pobres de espírito, porque deles é o reino dos céus.

Na pausa natural que se alongou e permitiu ouvir a cantilena do vento, espocaram variadas imaginações sobre esse reino anunciado, porém desconhecido.

Em comparações com as sonhadas delícias terrestres, uns pensaram ser o espaço do desejo reprimido, outros conceberam uma terra paradisíaca; ainda alguns sonharam com um lugar de deleite, e outros mais recordaram o fluir álacre da infância.

Entre as imaginações fugidias de cada mente, a palavra suave e incisiva do Mestre, pelas vias alternativas da aprendizagem, em profunda e firme influência psíquica, despertou um sentimento de plenitude, além de qualquer conjectura ou ilação.

Indizível, inolvidável, e, cada um, em modo singular, nos limites de suas possibilidades, compreendeu que o citado reino estava no seu próprio âmago. Natureza intrínseca, essência, assinatura de Deus em ato criador.

Desvelá-lo é a fundamental missão de quem se pretende candidato à suprema felicidade.

Para realizar tão expressiva façanha, entre as lutas do cotidiano e as ansiedades do devir, faz-se mister despojar-se de toda riqueza, pois ela impede a percepção do reino por parte de quem a detém e nela se enreda.

Estar rico é um estado de espírito, tradicionalista por inércia, adorador de fórmulas prontas, resistente à criatividade e à inovação.

É estar orgulhoso de sua sabedoria, do cargo que exerce e da casa onde mora, da notícia elogiosa dos jornais e do olhar dos admiradores do dinheiro que detém ou da beleza física que o adorna.

É estar apegado ao transitório, ao impermanente, ao relativo, subordinando-se ao seu império e, nisso, sentir o seu gáudio e a sua segurança.

É ser inimigo do poeta que revela novas imagens ou do cientista que derruba teses consagradas, ou do místico que descortina mundos insondáveis, pois sua compreensão custaria trabalho a quem é amigo do mínimo esforço.

Estar pobre de espírito é viver a liberdade, sem algemas do passado e sem amarras do futuro, superando a escravidão do tempo e a limitação do espaço, por experimentar o eterno e o infinito.

Assim, liberto, encontra o fluir do <u>efêmero</u> impregnado da seiva do permanente...

Reino dos céus, conquista ou descoberta de seres livres, inteiramente livres!

ESTAR POBRE DE ESPÍRITO É VIVER
A LIBERDADE, SEM ALGEMAS DO
PASSADO E SEM AMARRAS DO
FUTURO, SUPERANDO A ESCRAVIDÃO
DO TEMPO E A LIMITAÇÃO DO
ESPAÇO, POR EXPERIMENTAR
O ETERNO E O INFINITO.

II

Bem-Aventurados os Que Choram...

A MULTIDÃO EMBEVECIDA ESPERA MAIS DE SEU Mestre. Fecundo silêncio se estabelece no mundo das palavras, enquanto inusitadas emoções e profundos pensamentos permeiam o estado psíquico dos ouvintes.

Uma crescente unidade se faz presente entre Aquele que ensina e aqueles que aprendem. O ato educativo, desvelador de mistérios, transcende a linguagem comum. Faz-se comunhão, partilha, entrega, fusão.

E o cântico prossegue, em voz suave e enfática:

— Bem-aventurados os que choram, porque serão consolados.

A lágrima é uma presença universal nos quereres humanos. Ora apresenta-se como enxurrada em choros convulsos, expressando perdas irreparáveis ou paixões incontroláveis insatisfeitas; ora como a linfa suave e cristalina, deslizando nos regatos, revelando resignação e paciência, diante dos infortúnios da vida, ou sedimentando superações, por meio do perdão.

As exceções ficam para aquelas lágrimas, manifestações de momentos de alegrias, frutos de sonhos que custaram ingentes esforços ou esperanças em dias de felicidade que se delineiam em horizontes próximos.

Como regra, o choro nos fala de um sofrimento que não pode ficar exclusivamente nos escaninhos da alma, e que se tornou presente nas faces humanas para comunicar algo. Um pedido de compreensão, um anseio de consolo, uma sede de partilha, um grito de socorro. Ao mesmo tempo, faz-se catarse, libertação, refrigério, alívio.

Chorar é algo mais que explicitar um sofrimento. No âmago do ser jaz a assinatura do Absoluto, do Eterno, do Permanente, mas a consciência de ego, periférica e limitada, de nada disso se apercebe. Ainda assim, impulsionada por uma força estranha que brota das profundezas da alma, procura inconscientemente nas imagens do relativo, nos fatos do impermanente, nas formas do temporário, algo que lhe faça compensar essa ignorância.

Como nada do mundo das formas e das aparências – limitado porque é existencial, porém não essencial – compensa essa busca, sobrevém a frustração, a dor, o sofrimento, as perdas, tudo isso realidades ilusórias. Então, o choro aparece como uma rebelião à tirania do efêmero, uma forma de buscar Deus, muitas vezes, nas viagens solitárias em desertos da vida.

O equívoco do homem faz do amor uma consignação do temor pela perda. Pensamos que se deixarmos de temer, abdicaremos do amar. Confundimos o sentimento que há em nós com o estímulo que parte do outro para manifestá-lo, e nos apegamos ao estímulo, como se ele fosse a fonte de nossa satisfação. E o queremos para sempre como reverberação do íntimo sentir da eternidade do amor. Ao assim procedermos, vivemos a angústia da perda, a possibilidade inquietante do furto e a sensação da necessidade de constante vigilância. E todo amor se transforma em dor antecipada na imaginação.

Pela vastidão da Terra, espalham-se os que choram. Uns, vencidos pelas pesadas lutas da sobrevivência; outros, derrotados pela ausência de perspectiva; outros, ainda, magoados pela incompreensão.

ÂMAGO
íntimo; essência

JAZER
encontrar-se

EGO
núcleo da personalidade de uma pessoa

IMPERMANENTE
que não é permanente

EFÊMERO
passageiro, temporário

CONSIGNAÇÃO
associação

ABDICAR
renunciar por vontade própria

REVERBERAÇÃO
repercussão; reflexão

ANGÚSTIA
ansiedade intensa; aflição; sofrimento

Variados, como a singularidade humana, são os motivos do sofrer e do chorar. Fato é que imenso é o pranto. Mais <u>dorido</u> ainda quando parte da constatação de que estamos ilhados e nossos semelhantes não nos percebem. Que é impossível realizar um contato pessoal, em que prevaleçam a inteireza, a liberdade de se expressar e a certeza da aceitação incondicional. Em meio a multidões de corpos e falas, ainda assim, experimentamos a sensação de <u>soledade</u>.

— [...] serão consolados... – ecoa no monte a voz do Mestre.

A sua mensagem é de superação da dor, de libertação do sofrimento. Não simplesmente o alívio momentâneo e específico de uma dor é a promessa. As boas-novas levam-nos ao país da bem-aventurança, em que a limitada compreensão humana é sucedida pela sabedoria infinita de Deus.

Às angústias do mundo e a sua tirania do efêmero, sucede a entrega plena de satisfação aos <u>desígnios</u> do Absoluto. Os temores da perda são substituídos pela posse da riqueza interior, impossível de ser roubada ou destruída pelo tempo.

Chorar transforma-se numa ponte para o regresso, como o filho pródigo que reconhece que a felicidade está em <u>consonância</u> com as leis da Divina Paternidade. Assim, encontra a consolação definitiva.

Chorar transforma-se numa ponte para o regresso, como o filho pródigo que reconhece que a felicidade está em consonância com as leis da Divina Paternidade. Assim, encontra a consolação definitiva.

III

Bem-Aventurados os Brandos...

PÓS A CONSOLAÇÃO, ECOA NO PLANALTO O brado de alerta do Mestre:

— Bem-aventurados os brandos, porque eles herdarão a Terra!

O verso cala fundo na alma da multidão. Quase todos são coniventes com a cólera que estruge de uma palavra ou de um gesto. Mal escondem, nas máscaras afiveladas para atender as convenções sociais, as emoções adversas, os desejos quase insopitáveis de expressar rancores. Quando falta o argumento nas tertúlias, que mais se assemelham a guerras de palavras que a diálogos, a voz se alteia em gritos estentóricos ou os corpos se atracam em pugilatos.

A ira é a expressão da agressividade do contendor, tentativa de fazer valer seus pontos de vista erigidos à condição de verdade universal, e, assim, tornada norma geral de comportamento ou de pensamento. No íntimo, o colérico teme pela segurança de sua crença e desconfia da força de sua sabedoria; se não pode convencer, sente-se na obrigação de coagir. No fundo, há um sentimento de impotência que, não podendo ser negado pela própria consciência, projeta no mundo sua tentativa de apagá-lo por ações de desforço.

Mais grave ainda é quando a raiva não é expressa nem dispersada e se converte em depressão, voltando-se contra a própria pessoa em sentido autodestrutivo – que se faz trânsfuga e evade-se da situação pelas portas do autocídio –, deixando perplexos seus afetos que se sentem acusados de fracassar em retê-la no mundo e desvalorizados em suas relações do sentimento.

A cólera ainda campeia em todos os locais onde vige a presença humana. Até mesmo nos templos religiosos, onde se elege o amor transcendental como desiderato e, na intimidade dos lares, onde deveria imperar o sagrado dever de compreensão mútua. Digladiam-se em querelas intermináveis religiosos e fiéis, pais e filhos, cônjuges, agregados, irritando-se mutuamente, transgredindo os mais elementares preceitos de aceitação, e negando qualquer valor à ternura, à amizade.

E assim prosseguirá a humanidade até conhecer, por experiência, a brandura, irmã do equilíbrio, filha dileta da impassibilidade. No entanto, para que ela instaure o seu trono no âmago de cada ser e transborde em mansidão perante os outros, é necessário expulsar de nossa habitação interior a prepotência, descendente em linha reta do egoísmo. Também é indispensável alijar dos cômodos mais secretos de nosso ser toda pretensão de submeter os outros a nossos interesses e todo impulso de projetar neles nossas dificuldades de bem-viver. Reciprocamente, há que compreender que não dependemos do mundo dos outros para experimentarmos a felicidade autêntica. Essas conquistas serão o esteio de uma conduta cordata, facilmente conectada com a Vontade Suprema, nossa garantia de justiça e merecimento.

Quando a brandura permeia os pensamentos e as ações, as palavras consolam, os silêncios aliviam. A presença é compreensão, a ausência é recordação afável. A aproximação é sinergia, o afastamento é ampliação do campo de influência.

TRANSCENDENTAL
que ultrapassa os limites físicos; superior, sublime

DESIDERATO
coisa desejada; aspiração

DIGLADIAR
combater, lutar; discutir calorosamente

QUERELA
discussão; briga

CÔNJUGE
indivíduo em relação à pessoa com quem está casado

DILETO
preferido

ÂMAGO
íntimo; essência

ALIJAR
descartar

ESTEIO
sustentáculo

CORDATO
sensato; amável

BRANDURA
suavidade; ternura

PERMEAR
estar presente em

AFÁVEL
delicado; agradável

SINERGIA
ação conjunta que produz um resultado melhor que o de ações isoladas

A energia que emana de uma atitude branda é acolhimento, segurança, possibilidade de inteireza, valoração sem julgamento, fé no potencial alheio. Como um <u>infante</u> que se recolhe ao <u>regaço</u> materno ou o riacho que se conforma ao seu leito, o envolvido pela mansidão do outro descansa em crescente harmonia, abre as suas defesas e mostra-se em toda a sua amplitude, que se estende do território do instinto guerreiro até as regiões de aspiração da angelitude. Nesse estado de espírito, quando <u>medra</u> o engano, suave é o esclarecimento; quando prevalece a verdade, serena é a aprovação.

O gesto afável, próprio de quem vive na brandura, é um apelo poderoso para a salutar convivência fraterna, quando dominam a escuta dos anseios mais profundos e a partilha das dores e dos <u>júbilos</u> mais íntimos. Ele levanta as barreiras da comunicação por tocar o que há de mais elevado nos <u>refolhos</u> da alma e por desvelar a humanidade plena, que <u>jaz</u> escondida no tumulto das relações conflituosas.

Jamais alguém se arrependerá de ter tido uma conduta afável, de ter pronunciado um vocábulo com doçura, de ter agido sob a <u>égide</u> da <u>mansuetude</u>, mesmo quando <u>instado</u> pelos que desconhecem a brandura, navegando no mar revolto da cólera. Pelo contrário, a voz da consciência aprovará e o tempo demonstrará aos outros o acerto de seu modo de agir.

Os que assim procederem serão recompensados pela descoberta do continente da harmonia interior, moradia da serenidade, refúgio da doçura.

Herdarão a Terra!

INFANTE
criança, menino

REGAÇO
colo

MEDRAR
progredir;
desenvolver-se

JÚBILO
alegria extrema;
entusiasmo

REFOLHOS
as partes mais
profundas

JAZER
encontrar-se

ÉGIDE
proteção, amparo

MANSUETUDE
mansidão

INSTADO
solicitado; pedido
com insistência

JAMAIS ALGUÉM SE ARREPENDERÁ
DE TER TIDO UMA CONDUTA
AFÁVEL, DE TER PRONUNCIADO
UM VOCÁBULO COM DOÇURA,
DE TER AGIDO SOB A ÉGIDE DA
MANSUETUDE, MESMO QUANDO
INSTADO PELOS QUE DESCONHECEM
A BRANDURA, NAVEGANDO NO
MAR REVOLTO DA CÓLERA.

IV

Bem-Aventurados os Que Têm Fome e Sede de Justiça...

No CREPÚSCULO QUE SE VESTE DE DOURADO, ecoa a promessa tranquilizadora:

— Bem-aventurados os que têm fome e sede de justiça, porque serão saciados.

Anuncia-se um tempo em que os homens não precisarão clamar, ressentidos, contra os desprezos do mundo, as injustiças dos poderosos, as agressões dos violentos, as insolências dos prepostos governamentais, as lentidões dos servidores do judiciário, as ingratidões dos assistidos, a soberba dos orgulhosos, a falta de sensibilidade dos cuidadores, a empáfia dos tolos... Há, agora, um vislumbre de dias esperançosos.

O cotidiano da existência se organizou, até o momento, como um tribunal permanente, em que todos são réus e juízes simultaneamente. A cada passo, condenamos e somos condenados, hábito que é fruto da presunção descabida de que conhecemos plenamente o que é feito, sentido, pensado e vivido pelo outro, até o âmago de cada intenção.

A todo instante, aprovamos as atitudes dos que perfilam ao lado de nossa mundividência, de nossos interesses, de nosso modo de valorar e, simultaneamente, julgamos negativamente todos os que se colocam no reverso da medalha, sem nos darmos conta dos reiterados equívocos contidos em nossas sentenças, centradas na superficialidade de nossas observações.

Tornamo-nos, então, partícipes das contendas humanas, sem que o sentimento de injustiça se reduza ao longo da história, mesmo após atulharmos as bibliotecas de volumes sobre o tema, e governos e sistemas se renovarem em ações legais. Fixados na ânsia de um suposto merecimento, encontramos diariamente a injustiça na rua, no educandário, na repartição pública, na imprensa, no hospital e até mesmo nos templos religiosos, quando, em sonoro gritar desesperado, recriminamos Deus pelo não atendimento a nossos anseios.

Uma horrenda procissão de sentimentos parece dominar o triste mundo: a frieza, o orgulho, o desdém, a calúnia, a injúria, o cinismo, o ódio e o egoísmo alimentam a fogueira das ações, desvalorizando a vida, as relações interpessoais e as condições de sobrevivência que se expandem em incêndios devastadores, por meio de rebeliões e revoluções, até culminarem nas guerras, último ato no teatro da agonia da destruição.

Do altiplano de onde são anunciadas as boas-novas, há, entretanto, uma garantia insuspeita: a da saciedade de fome e sede de justiça está assegurada. De imediato, as mentes mais atiladas e os corações mais angustiados quererão saber como e quando isso ocorrerá. Perguntam se a injustiça da Terra desaparecerá algum dia, e se isso está próximo.

A promessa do Mestre não poderá ser compreendida e vivida se não se considerar que o cântico das bem-aventuranças se dirige ao ser imortal.

Porventura haverá injustiça real no plano do espírito, que por vezes se encontra restrito em sua percepção a um corpo efêmero? Por acaso Deus terá abandonado o mundo, o homem e suas querelas, deixando-os entregues a sua própria capacidade de fazer justiça, segundo o seu próprio entendimento? Ou, então, Ele deixará transcorrer o tempo para exercer a justiça somente na consumação dos evos?

DESDÉM
desprezo; indiferença

ALTIPLANO
planalto

ATILADO
esperto

ANGUSTIADO
ansioso; aflito

EFÊMERO
passageiro, temporário

QUERELA
briga; discussão

CONSUMAÇÃO
ato de chegar ao término

EVO
século; eternidade

CONSUMAÇÃO DOS EVOS
fim dos tempos

Ora, um Deus-Pai, um Deus-Espírito, um Deus-Verdade, procedendo assim, não mereceria o <u>epíteto</u> de divindade. Mais se assemelharia a um <u>caviloso</u> ser, imaginativo e cruel que, ao gerar criaturas, as condenaria ao mundo da ignorância e das verdades relativas, e as colocaria, frente a frente, nas variadas condições históricas para que os mais astutos e fortes submetessem os demais aos seus caprichos.

A justiça será reconhecida plena, primeiramente, nos corações embebidos de amorosidade que percebem Deus como autor e gestor da grande lei cósmica de ordem universal. Ele assegura, em qualquer tempo, o justo, o necessário e o merecido a cada ser, comunidade ou civilização, por meio da dinâmica dos processos evolutivos embasados na grande trajetória dos renascimentos.

O mundo é um jogo de aparências, e somente aquele que percebe o fluir da vida, por meio da ótica do espírito e seu manifestar-se, compreenderá que as ocorrências entendidas como injustas estão em <u>consonância</u> com uma ordem mais profunda, que sempre atua a serviço do evoluir individual e coletivo. Assim, o que nos afeta como desagradável é apenas um jeito provisório e limitado de perceber a complexa realidade do ser espiritual e suas vivências em busca da plenitude.

Ninguém é atingido por um determinado ato por acaso. O aparente caos jurídico, social e afetivo é ilusório, como um reflexo efêmero do modo de manifestar-se do espírito, que ainda não expressou plenamente seu potencial do ser.

EPÍTETO apelido, qualificativo

CAVILOSO enganoso; falso

CONSONÂNCIA concordância, acordo

Tempos virão em que, mais adiantados espiritualmente, compreenderemos as leis da vida e criaremos normas e comportamentos segundo os quais todos estarão empenhados em realizar no mundo o "reino dos céus". A civilização atual, de provas e expiações, em que prevalece o valor econômico e suas precárias formas de organização social, será meramente uma lembrança de um passado evolutivo.

Então, <u>adstritos</u> a viver em consonância com a lei de Deus, **ADSTRITO** sujeito reconheceremos a plena justiça, que, desde sempre, atuou na vida do espírito.

Serão saciados!

TEMPOS VIRÃO EM QUE, MAIS
ADIANTADOS ESPIRITUALMENTE,
COMPREENDEREMOS AS LEIS DA
VIDA E CRIAREMOS NORMAS E
COMPORTAMENTOS SEGUNDO
OS QUAIS TODOS ESTARÃO
EMPENHADOS EM REALIZAR NO
MUNDO O "REINO DOS CÉUS".

Bem-Aventurados os Misericordiosos...

A MULTIDÃO ACALMA-SE, EMBALADA PELA GArantia de que se fará justiça para todos.

Vibrações harmoniosas pairam nos corações sedentos na tarde serena. O Mestre prossegue envolvente e revelador:

— Bem-aventurados os misericordiosos, pois obterão misericórdia.

Então existirá algo mais rico, mais completo, mais pleno do que o cumprimento da justiça? Porventura não será o bastante, para estabelecer uma sociedade ditosa, o oferecimento de mecanismos que assegurem os direitos de cidadania e seus correlatos de responsabilidade como deveres?

Não será suficiente aplicar as medidas necessárias para que o merecimento de cada um seja respeitado, gerando um clima social de bem-estar?

Superar a injustiça que domina os corações, vencer a inércia de legisladores, governantes e prepostos jurídicos, estabelecer na prática critérios consistentes de aplicação da lei baseada em princípios universais são necessidades prementes para o aperfeiçoamento da vida civilizada.

Nada obstante, ainda que tudo isso se realize, não se conhecerá a plenitude das interações humanas, dado que a justiça, de per si, só se atém à verdade e estabelece correlações entre transgressão e castigo, cumprimento do dever e premiação. Para ir além desses parâmetros, é preciso acrescentar algo cuja natureza intrínseca seja o amor: a isso chamamos misericórdia.

DITOSO
feliz, afortunado

INÉRCIA
falta de iniciativa

PREPOSTO
aquele que
representa

PREMENTE
urgente

NADA OBSTANTE
apesar disso

DE PER SI
isoladamente

INTRÍNSECO
que constitui
a essência

Experimentando-a, distinguimo-nos dos julgadores fixados à fria expressão da lei. Aprendemos a criar oportunidades de redenção para o precito ou oferecemos mais amplas possibilidades de realização para o cumpridor dos deveres.

A misericórdia se amplia na medida em que nos percebemos todos como um. A separatividade é mera aparência, pois somos essencialmente a expressão criativa de Deus. Quando alguém, a nosso ver, deriva-se pela via do equívoco, ainda que mereça os corretivos preconizados, continua sendo a divina criação, aguardando mãos piedosas que lhe ajudem a manifestar sua natureza. Ela é a inteligência afetiva, posta a serviço da construção da felicidade. Uma sabedoria do coração brota no trato das relações de justiça entre pessoas e nações, ensejando superar contendas por meio de atitudes de doação, de votos de confiança e até mesmo de clemência.

Configura-se como indulgência perante os faltosos, sem que descambe para o aplauso ou a conivência com o erro. Age em consonância com o espírito de compreensão das limitações de cada um, pois ninguém pode ir além do que é possível a seu momento evolutivo. Permite à vítima compreender as razões do algoz e dedicar-lhe o sentimento de piedade, entender o modo de agir do transgressor e orientá-lo para evitar maiores danos futuros.

No mais glorioso exemplo, o Crucificado do Gólgota solicita perdão a Deus pelos que o condenaram, pois não sabiam o que faziam.

O misericordioso carrega consigo um ideal: abrandar as asperezas do mundo, sensibilizando os transgressores por uma atitude superior que age em conformidade com os mais elevados sentimentos.

E, porque no cosmo das ações, pensamentos e sentimentos humanos há sempre uma reciprocidade, fruto de uma justiça imanente à dinâmica da vida, os misericordiosos receberão seu prêmio:

Alcançarão misericórdia.

O MISERICORDIOSO CARREGA
CONSIGO UM IDEAL: ABRANDAR
AS ASPEREZAS DO MUNDO,
SENSIBILIZANDO OS TRANSGRESSORES
POR UMA ATITUDE SUPERIOR QUE
AGE EM CONFORMIDADE COM OS
MAIS ELEVADOS SENTIMENTOS.

VI

Bem-Aventurados os Limpos de Coração...

No LUSCO-FUSCO DO ENTARDECER ECOA A eloquência do Mestre:

— Bem-aventurados os limpos de coração, porque verão a Deus.

A multidão extasia-se ao ouvir tão deslumbrante revelação. Então, refletem aqueles de maior agilidade mental, o incognoscível poderá ser percebido, e o mistério da gênese cósmica, desvendado.

Há uma maneira muito peculiar de alcançá-Lo, que transcende os hábitos intelectuais que, em vão, tentam conceituar a divindade. E essa gnose privilegia o sentimento. Onde a inteligência tateia cega, o coração percebe o essencial, muito além das formas e das abstrações do pensamento.

A incomparável promessa evoca na multidão incontáveis estados de espírito, e cada pessoa, a seu modo, evoca suas lembranças sobre Deus.

Criador das formas, dos mundos, das energias, das forças, das leis universais, das belezas, das harmonias... Princípio de todos os fenômenos e fim de todos os seres, como alfa e ômega do dinamismo cósmico. Origem do sumo bem, causa primária de todos os efeitos, verdade suprema ante as verdades derivadas, justiça plena da qual emanam as justiças relativas.

Espírito universal, recôndito eu do cosmo, alma do todo, indestrutível essência, além de toda a criação, transcendência que o faz absoluto, eterno, infinito.

Imanência cósmica, substrato de todas as coisas, aquele que tudo permeia, presença invisível no mundo, sinfonia de todos os clamores, que emerge do vir a ser da natureza, inebriante canto do silêncio que as almas mais sensíveis conseguem escutar.

Depositário das mais sublimes aspirações humanas, consolador de nosso coração em sofrimento, mão protetora que nos tira da sensação de abandono, força que nos alenta, inspiração que nos faz criativos... Pai e mãe da longa série de nossos ancestrais e da grande descendência que nossos olhos nem sequer contemplarão.

E todo devaneio, fruto do eu em evolução, não é um conhecimento dEle, mas uma amplificação daquele que concebe, e, assim, a pequenez do humano conhece, delimita e conforma a grandeza do Divino Ser.

A revelação sintética aponta o caminho para o pleno conhecer: a pureza do coração. Somente assim, pode-se conquistar o sentido íntimo, que permite ultrapassar os movimentos do intelecto.

Para "ver a Deus" é preciso limpar as nascentes do sentimento, de há muito contaminadas pelos interesses e paixões, pelos prazeres egoicos, pelas sensações materializantes. E, pior ainda, deslustradas pela supremacia das emoções da revolta, da mágoa, do apego, da tristeza.

Um coração limpo conhece a inocência, experimenta a incondicionalidade dos afetos, percebe-se liberto das algemas da posse, atua com plena benevolência, caridade e tolerância. Nenhuma força o oprime, nenhum grilhão o aprisiona. Carregado de fé e esperança, vivencia os múltiplos existires, alimentando a experiência do Ser Uno. Nos altiplanos do espírito, abarca o panorama do todo e, nos vales das realidades humanas, atua considerando cada uma de suas partes em suas singularidades. Nada escapa da amorosa atenção.

Quanto mais limpo o coração, mais sagrado é o viver. E a vida é, mais e mais, gratuidade, celebração, harmonia, dedicação, plenitude, graça, deleite, doação.

O Amor, ao tempo que nos assegura identidade, nos unifica, conduzindo da percepção do múltiplo, do outro, à vivência do um. Ele faz cessar toda separatividade, toda luta, todo medo.

A alma de coração puro, amor plenificado, deslumbrada, pode, então, saber por experiência direta o que significa a promessa:

Limpos de coração verão a Deus.

UM CORAÇÃO LIMPO CONHECE
A INOCÊNCIA, EXPERIMENTA
A INCONDICIONALIDADE DOS
AFETOS, PERCEBE-SE LIBERTO DAS
ALGEMAS DA POSSE, ATUA COM
PLENA BENEVOLÊNCIA, CARIDADE
E TOLERÂNCIA. NENHUMA
FORÇA O OPRIME, NENHUM
GRILHÃO O APRISIONA.

VII

Bem-Aventurados os Pacificadores...

PERPASSAR
avançar em certa direção, sem se deter

EMBEVECIMENTO
encantamento

ALMEJAR
querer ou desejar com muita intensidade

MUNDANO
referente ao mundo, material e socialmente considerado

NOBILIÁRQUICO
relativo aos nobres

EPÍTETO
apelido, qualificativo

GALARDÃO
prêmio, homenagem, glória

TRANSCENDER
estar ou ir além de; ultrapassar

SUSCEPTIBILIDADE
sensibilidade; disposição para ressentir-se da coisa mais insignificante

MELINDRE
facilidade de magoar-se

O OLHAR DO MESTRE PERPASSA SERENO PELA multidão que se comprime em seu entorno e, naquele aparente embevecimento, esconde infindáveis lutas. E sua voz revela:

— Bem-aventurados os pacificadores, porque serão chamados filhos de Deus.

Que mais poderá almejar alguém, em matéria de reconhecimento, além da promessa de ser herdeiro divino. Glórias mundanas, títulos nobiliárquicos, riquezas monetárias, nada disso se compara ao epíteto – filho de Deus. Trata-se de um galardão que transcende as condições humanas e a temporalidade dos reconhecimentos da história. Os filhos de Deus vivem em aliança com a fonte suprema da paz e nela se eternizam.

Esse reconhecimento depende, porém, de uma demonstração inequívoca de que são portadores da paz em seu mundo íntimo; e esta se exterioriza em ações conciliadoras.

Nada mais comum e fácil do que criar o tumulto, semear a discórdia, alimentar o conflito, fomentar a guerra. Basta mobilizar o medo ou a ira que residem no mundo psíquico de cada um. Um gesto, uma palavra inadequada, uma frase que insinue perigo, um olhar que extravase crítica, um riso irônico, uma denúncia em linguagem não verbal, qualquer comunicação que sugira ameaça, fira susceptibilidades ou melindre, tudo isso pode cavar abismos entre criaturas que respiram a atmosfera da mágoa e da agressividade.

Se nas relações interpessoais as dificuldades ainda são imensas para se manter a harmonia, a coexistência produtiva e a partilha enriquecedora, imaginem-se os terríveis óbices para se construir e preservar a paz entre agrupamentos humanos, acostumados, desde a gênese da espécie, a lutar pelo chão, pelo pão e pela sobrevivência, marcados, sobretudo, por sucessivas ações de destruição mútua, sem que vencidos e vencedores se deem conta da loucura em que estão imersos ao valorizarem o momento que passa e desprezarem a perspectiva do eterno.

É nesse mundo minado pela desconfiança que se desloca o Pacificador. Ele sabe que caminha entre multidões de criaturas descrentes da possibilidade de convivência harmônica, todas escondidas em máscaras sociais que cairão à primeira clarinada, prenunciando algum ataque.

Porque integrou suas diferentes vivências psíquicas, o seu pensar, o seu sentir e o seu agir são perfeitamente coordenados e movidos pelo desprendimento em relação às coisas do mundo. O Pacificador passeia, em meio ao desequilíbrio, sem se deixar contaminar, sendo o arauto de um conjunto de ações, que o faz semeador da harmonia. Sua presença, naturalmente, inibe a agressividade, permite o afastamento das nuvens carregadas pelas emoções do rancor, predispõe a reflexões mais acuradas e a observações que contemplam diferentes aspectos do mesmo fato e facilitam a eliminação do equívoco da interpretação malsã.

ÓBICE
impedimento, obstáculo

GÊNESE
formação, origem e desenvolvimento

CLARINADA
toque ou som de clarim

PRENUNCIAR
indicar com antecedência

ARAUTO
mensageiro

CONTEMPLAR
abranger

MALSÃO
nocivo ao intelecto, à mente, à moral

Sua palavra eivada de humildade ou de uma energia serena mira a superação de conceitos triviais, nos resultados das lutas, como dominadores e submissos, vencedores e perdedores.

Nas refregas mais árduas, seu espírito apaziguador descobre pontos consensuais entre adversários, possibilidades de concessões mútuas entre litigantes, e pensamentos convergentes no âmago de discursos dissidentes. Assim, elabora soluções que vão além das aparentes motivações das querelas, pois aproxima pessoas e povos por meio de uma atitude transformadora de separatividade em união.

Seus feitos, muitas vezes, quase silenciosamente realizados, revelam que todo ser humano, sozinho ou em multidões, identifica e não dispensa a pacificação que não sabe realizar sem a presença de alguém que experimenta em si mesmo a vida pacífica.

Os que, pelo exemplo, facilitam a transformação de lobos em cordeiros, guerreiros em cordatos cidadãos, incendiários em bombeiros, pela ingente tarefa de projetar o homem animal no reino da civilização, degrau necessário para a santidade e a angelitude, merecem um galardão:

"Filhos de Deus".

Os que, pelo exemplo, facilitam a transformação de lobos em cordeiros, guerreiros em cordatos cidadãos, incendiários em bombeiros, pela ingente tarefa de projetar o homem animal no reino da civilização, degrau necessário para a santidade e a angelitude, merecem um galardão: "Filhos de Deus".

VIII

Bem-Aventurados os Perseguidos...

E OS LÁBIOS PROFÉTICOS DO MESTRE ANUN-
ciam:

— Bem-aventurados os que sofrem perseguição por causa da justiça, porque deles é o reino dos céus.

O anúncio dos tempos difíceis de rejeição às alvíssaras evangélicas coroa o excelso cântico das bem-aventuranças. Será assim, ao longo dos séculos futuros. O passado, que resiste ao desaparecimento, empenha-se em luta mortal contra o futuro revelado: ai daquele que se apresentar como revelador! Que o digam os visionários da superconsciência, os hereges da santificação, os profetas de um mais espiritualizado arranjo social. Conhecerão todo tipo de obstáculo na semeadura, e, dificilmente, estarão presentes para a colheita na mesma veste corporal.

Contra seus ideais, unir-se-ão até mesmo inimigos entre si, que colocarão de lado suas divergências, para juntos eliminarem a ameaça nascente. Titubearão os amigos nos momentos mais decisivos da empreitada, em fé vacilante, que só o tempo sedimentará. E a dúvida, consumidora de preciosas energias criativas, permeará o imo da alma do revelador, de vez em quando, reduzindo seu ímpeto criativo. O aplauso das multidões só aparecerá quando saciados seus desejos e atendidas suas carências. Ainda assim, modificarão seu juízo de valor ao menor risco ou promessa imediatista que lhes interesse.

Sem embargo, a força de um ideal que desce dos altiplanos da superconsciência para a planície da consciência normal, ainda envolta em querelas evolutivas cotidianas, sustenta o solitário construtor do futuro que, mesmo sem ser plenamente compreendido pelos próprios seguidores, deslumbra-os com sua presença, ditos e fatos que o cercam, e os atrai por uma conexão íntima, sintonia de alma para alma, que transcende todas as percepções sensoriais. Mesmo o povo, em sua sutil inteligência de massa, advinha e pressente algo que o magnetiza e alimenta.

Quando tais fenômenos chegam ao conhecimento dos dominantes, que por sua própria condição se sentem em permanente vigília, atentos a qualquer novidade que lhes retire o poder, eles enxergam além dos fatos e identificam o perigo que deve ser exterminado. E, com suas concepções e armas, atacam o que lhes parece o risco intangível de destruição de seus tesouros.

Que pode fazer o desvelador dos mundos incognoscíveis senão cumprir a sua missão? Estar a serviço de um ideal, tornando-o, progressivamente, realidade. Saber de sua tarefa, atendendo a um apelo íntimo, voz da consciência profunda, reflexo da presença divina no âmago do ser.

E o séquito dos legítimos profitentes, menos aptos que seu mestre, segue seus passos na alegria natural de quem se faz partícipe de uma descoberta. Nada mais euforizante do que encontrar uma revelação, descobrir a solução para um magno problema, penetrar num reino de insuspeitadas harmonias e, daí, partir para a anunciação como novos Arquimedes a bradar pelas ruas: eureca!

Logo, logo, o brado despertará os descrentes, os aproveitadores, os mentirosos, sempre de plantão para semear a injúria, a calúnia, a dúvida ou mesmo montar armadilhas para desmascarar uma suposta impostura. Quando não conseguem amedrontar o arauto do novo conhecimento, vestem-se da aparente sabedoria das leis vigentes, usualmente criadas para referendar os costumes e as elites de uma época, e proclamam fora da lei a novidade e o seu apresentador. E, mesmo sem achar qualquer culpa real perante seus códigos, ainda assim forjam provas, aproveitam-se de depoimentos dúbios, compram consciências e tentam destruí-lo, onde lhes pareça conveniente, eliminando-o da convivência social ou conspurcando a sua honra.

O revelador, entretanto, imbuído da verdade de sua experiência, que nenhum ataque do mundo exterior pode abalar, prossegue. Sua defesa é o trabalho, o dever cumprido, a impassibilidade no confronto com os algozes. No afã de estender seu ideal, ocupado, não disponibiliza tempo para se confrontar com a malquerença, rebater a calúnia e convencer as vozes dissonantes. Sua vida abnegada e sua conduta no lidar com os problemas cotidianos falam com mais força de convencimento que os discursos. Mesmo contrariando o vozerio comum e dele recebendo seus apupos, mantém firmeza de propósito no cumprimento imperioso de um dever que nasce do contato com a revelação.

As inexoráveis leis da evolução, entretanto, protegem-no na medida do necessário para o exercício de sua missão, pois ele não fala e vive para si, mas para a ânsia da vida em seus processos de ascese. Perseguido, porque trabalha por um tempo além do presente, aparentemente derrotado no âmbito das convenções humanas, transforma-se em pioneiro de uma história, que mais tarde será reconhecida e reescrita, enquanto os vencedores de momento, perseguidores, têm seus nomes convertidos em algozes, juízes venais, governantes retrógrados, enfim, os que não sabem o que fazer com as oportunidades de real progresso humanitário.

Negar um ideal é assinalar o seu valor. Dizê-lo utópico, insano, impossível, é afirmar quão distante está quem assim procede. Persegui-lo é medir forças com o imponderável evoluir, com a vantagem do tempo e da força intrínseca que tudo que é superior carreia.

A recompensa, entretanto, supera qualquer expectativa, se esta existir. Para toda a gama de infortúnios, para a expulsão do mundo dos homens, o prêmio é o reino dos céus... Para quem se fizer fiel servidor de Deus no mundo.

INEXORÁVEL inflexível, implacável

ÂNSIA desejo ardente

ASCESE aperfeiçoamento espiritual, moral

VENAL corrupto

RETRÓGRADO contrário ao progresso

UTÓPICO fantasioso; irrealizável

IMPONDERÁVEL imprevisível

INTRÍNSECO que constitui a essência

CARREAR carregar, arrastar

INFORTÚNIO infelicidade

PARA TODA A GAMA DE INFORTÚNIOS,
PARA A EXPULSÃO DO MUNDO DOS
HOMENS, O PRÊMIO É O REINO DOS
CÉUS... PARA QUEM SE FIZER FIEL
SERVIDOR DE DEUS NO MUNDO.

IX

Exultai e
Alegrai-vos...

N A TARDE QUE SE DESPEDE EM CORES MA-tizadas, tornando o crepúsculo um festival de luzes e sombras, a voz do Mestre afaga a multidão com uma promessa que encerra o seu poema:

— Bem-aventurados sois vós, quando vos injuriarem e perseguirem e disserem todo o mal contra vós por minha causa. Exultai e alegrai-vos, porque grande é o vosso galardão no reino dos céus.

Aparentemente paradoxal, o Mestre anuncia: os motivos das aflições humanas são a causa das alegrias divinas. O que magoa o comum dos mortais alimenta e faz exultar o seguidor de seu Evangelho. O mesmo fato que dá nascimento à tristeza em uns, é a fonte de gozo em outros.

O aparente paradoxo se desfaz quando olhamos o homem na perspectiva de criatura de Deus, imortal, no seu esforço de filho pródigo, redescobrindo a comunhão original.

Alegria verdadeira existe em cada ação que o aproxima de Deus, que é o supremo bem. Genuíno é o deleite de quem se torna partícipe da vanguarda dos construtores de um novo reino, cujo fundamento é o espírito consciente de seu vínculo divino, aliança amorosa indestrutível.

Resulta natural, desse modo, que a aderência à lei de Deus, principalmente quando antecipa um futuro evolutivo, seja acompanhada de júbilo, pois a evolução é também um despertar para gozos mais completos. A consciência limitada do indivíduo tende a perceber-se cada vez mais integrada na consciência cósmica, que a tudo regula, até mesmo a percepção humana. Essa expansão da consciência numa vida maior é gênese da alegria experimentada, pois corresponde à finalidade do dinamismo universal, pela afirmação do ímpeto altruísta do amor.

Deixar-se envolver pelos ensinos crísticos, num mundo de espetáculos circenses, em que os homens se comportam, ainda, como feras que se alternam, destruindo egoisticamente tudo que represente altruísmo, é correr o risco de ser expulso. Ante os princípios da força e da astúcia que regem as relações sociais, aparecerá como dissonante e incoerente toda tentativa de seguir a ética crística, pois, agir assim é, corajosamente, afastar-se do trivial humano para entranhar-se nas incognoscíveis regiões do divino.

Viver em sintonia com o Evangelho é renunciar aos ganhos primários do mundo, conquistas evolutivas incipientes centradas na saciedade da fome e do sexo, muito valorizadas pela comunidade dos normais, para apropriar-se do gozo do trabalho evolutivo, prazer do espírito, ascese que transcende as formas transitórias da matéria.

Assim, glorifica-se a derrota aparente no mundo, vive-se ricamente despojado de bens, torna-se poderoso na obediência e sábio de uma sabedoria que é loucura para os homens comuns.

Quando a criatura está realmente imbuída dos princípios do Evangelho, torna-se um porta-voz do amor, um menestrel da alegria em que flutua o universo espiritual invadido pela divina presença.

Supera a trágica ilusão do mundo e o seu erro na procura de alegrias fugazes, prazeres que deságuam num oceano de dor, porque foram alimentados pelo egoísmo.

A constatação de que se segue no caminho para Deus passa pela crítica dos assoberbados pelos interesses mundanos, pela maledicência dos que tentam rebaixar qualquer tentativa de elevação, pela testagem dos céticos que se erigiram em medida de todas as coisas de boa qualidade, pela maldade dos que não suportam diferenças, principalmente, quando lhes pareçam superiores e despertem a inveja.

A garantia de quem se distanciou da mediana compreensão humana – a normalidade – é a sapiência interior em consonância com ideais jamais vividos pela sociedade e a rejeição de seu projeto de vida. Assim como o Mestre veio para os seus e não foi compreendido, o discípulo, seguindo os seus passos, encontrará a validação de sua vida no martírio físico ou simbólico, demonstração de uma missão bem-sucedida. Quem poderá compreender esses vates do devir? Aprisionados pelas forças retrógradas da vida, entoam cantos de louvor a seu Mestre e, sem resistência, entregam-se ao sacrifício. São insanos perante o mundo, pois não seguem a lógica do medo e da subserviência, nem se opõem com violência aos seus algozes. E, por reconhecerem que cumpriram a sua tarefa na implantação de um ideal, entregam-se ao real sentimento de alegria... Em sua acústica ressoa:

Exultai! Alegrai-vos!

QUANDO A CRIATURA ESTÁ
REALMENTE IMBUÍDA DOS PRINCÍPIOS
DO EVANGELHO, TORNA-SE
UM PORTA-VOZ DO AMOR, UM
MENESTREL DA ALEGRIA EM QUE
FLUTUA O UNIVERSO ESPIRITUAL
INVADIDO PELA DIVINA PRESENÇA.

X

Cântico das Bem-Aventuranças...

QUEM CONHECER AS VIBRAÇÕES EMANADAS DO poema das bem-aventuranças, por meio de uma ressonância no imo da alma, terá feito uma descoberta tão vasta que jamais poderá deter-se em silêncio. A alma experimenta, a partir de então, um festivo viver, enfeitado por uma alegria incomensurável, tradução fiel do estado de beatitude. Nada a oprime, nenhuma força a ameaça.

Assim embevecido, seu maior desejo é partilhar, pois nos dias de deleite ninguém ilumina a residência, enchendo-a de musicalidade e iguarias, para dela usufruir sozinho. Pelo contrário, seleciona convidados, envia-lhes correspondências e torce para que nenhum deles esteja impossibilitado de participar de seu evento.

Escutar as declarações de felicidade de Jesus torna-nos arautos da Boa-nova, nos faz assumir o compromisso de subirmos nos terraços para proclamar as lições ouvidas em alta sonoridade. Beneficiários da graça desse sermão, lídima afirmação das possibilidades de vivermos felizes, jamais poderemos sonegá-lo a milhares de outros seres que cruzam os nossos caminhos marcados pela desesperança, pela tristeza, pelo autoengano, formando um cortejo de rostos patibulares e corpos que mascaram os desgastes decorrentes dos prazeres mundanos.

As verdades <u>exaradas</u> são <u>dúlcidas</u> expressões de conforto e, ao mesmo tempo, grandes desafios de transformação. Enquanto as promessas de bem-aventuranças exercem poderosa influência, como o ímã atrai o ferro a seu campo magnético, a vida real, o mundo da subjetividade pessoal resiste às mudanças, vendo em cada ensino uma dura verdade.

Toda transformação causa transtorno. Erguer uma cidade nova onde, desde há muito, vive uma comunidade, exige desalojar pessoas, abrir novas vias, remover <u>casarios</u>, enfim, provocar desordem. Como ninguém pretende deixar sua comodidade, natural que resista, ainda que informada dos benefícios futuros. Assim também ocorre no país da alma, onde se instalaram velhos hábitos, antigos modos de percepção que se opõem a qualquer mudança. Desculpas, argumentos, <u>boicotes</u>, adaptações interpretativas são algumas das múltiplas maneiras de reagir à mutação para um novo modo de ser.

Informados das novidades, os <u>mantenedores</u> do antigo percebem que é urgente combater, com todas as armas, ao <u>exótico</u> discípulo de um Mestre irrealista que pretendeu <u>subverter</u> a ordem dos fenômenos naturais. Ao fazê-lo, entretanto, sem se aperceber, aproximam-se da grandiosa promessa de felicidade e, como a água que flui repetidas vezes, formando sulcos nas rochas, a <u>linfa</u> da bem-aventurança abre brechas no coração <u>empedernido</u> dos combatentes.

Assim, o estatuto da felicidade, as bem-aventuranças, como poderoso campo de atração espiritual, vai-se tornando, senão vivido, pelo menos conhecido.

Registrado nos fastos da história, foi o divisor de águas entre a civilização existente do homem-animal e a emergente do homem-espírito.

Nenhum seguidor poderá, então, afirmar-se na ignorância que gera o mal. O poema da montanha é a ponte entre a barbárie e a angelitude.

A boca da noite permite cintilar no zimbório os primeiros pontos de luz, anunciando, quiçá, o início da era das bem-aventuranças.

A LINFA DA BEM-AVENTURANÇA
ABRE BRECHAS NO CORAÇÃO
EMPEDERNIDO DOS COMBATENTES.
ASSIM, O ESTATUTO DA FELICIDADE,
AS BEM-AVENTURANÇAS, COMO
PODEROSO CAMPO DE ATRAÇÃO
ESPIRITUAL, VAI-SE TORNANDO, SENÃO
VIVIDO, PELO MENOS CONHECIDO.

Segunda Parte

Outras Belezas Espirituais

XI

a Magna Amizade

A despedida entre Mestre e discípula

ENTÃO A VIDENTE, SAINDO DO SANTUÁRIO,
pediu-lhe:
— Antes que tu partas, dize-nos:
Que faremos de nossos encontros
Tecidos com raios de luz do espírito?
Deixaremos que eles se transformem
    em simples lembranças,
Memórias que se esvairão ao sabor dos novos fatos,
Ou acaso os guardaremos como dádivas de Deus,
A iluminar nossos passos futuros?

Ao ouvi-la, ele meditou um instante
E compreendeu de pronto
Que o momento da despedida
É também o da revelação da profundidade do afeto.
E, tomado por infinita ternura,
Respondeu-lhe, fitando seus olhos de poente:

Jamais nos apartaremos,
Pois existimos um no outro
Como marcas indeléveis
Que nenhum sopro da vida acabará.
Nunca se esmaecerão as lembranças,
Pois em nós arde a chama da magna amizade.

ESVAIR
dissipar;
desaparecer

DÁDIVA
presente; aquilo
que é especial-
mente favorável

FITAR
fixar a vista

INDELÉVEL
que não se pode
apagar, eliminar

ESMAECER
apagar-se; perder
a intensidade

MAGNO
grande ou impor-
tante; relevante

Ela, de mim, fez uma harpa
Na mão do Onipotente,
Que ao me tocar, exprime a melodia do divino;
E de ti, fez uma flauta doce,
Pela qual o sopro de Deus
Revela a harmonia univérsica.

Ver-nos-emos em outras faces e outros corações,
E o viço de nossas permutas permeará outras vidas,
Pois que a afeição que se faz plena,
Transborda do vaso sagrado do ser
E, qual linfa preciosa e inesgotável,
Suaviza a aridez do mundo.

Estivemos juntos com horas para viver,
Houve o partilhar de sonhos e esperanças,
Em sempre renovado enlevo.
E, mesmo quando a palavra revelou dor,
Encontrou blandicioso refrigério
Que a transmudou em sabedoria.

Cada encontro foi sempre a última vez
E, nele, o amor determinou o seu curso,
Congelou o tempo ou o tornou eterno.
E a doçura, ao narrar as pequenas coisas,
Foi como o orvalho das manhãs,
Refrescando a aurora do coração ouvinte.

ONIPOTENTE
Todo-Pode-
roso; Deus

UNIVÉRSICO
cósmico

VIÇO
força, intensidade

PERMEAR
estar presente em

LINFA
água

ENLEVO
encantamento

BLANDICIOSO
meigo, carinhoso

REFRIGÉRIO
alívio, consolo

TRANSMUDAR
transformar

ORVALHO
vapor da água
atmosférica que
se condensa e
deposita em gotí-
culas, de manhã
cedo e à noite,
sobre qualquer
superfície plana

AURORA
claridade que
aponta o início
da manhã, antes
do nascer do
Sol; princípio

Não buscamos suprir do outro
Nem a carência, nem o vazio,
Pois, assim, só alimentaríamos
A nossa ilusão de falta;
Mas o melhor de cada um de nós se uniu
Na gênese de infindos deleites.

E em nossos espíritos não floresceram
Nem confiança, nem desconfiança,
Pois que são elas senão a antessala da decepção?
Assim, cada contato foi um inteiro desvelar-se,
Além de todo medo e de qualquer expectativa,
Na mais pura transparência de cada solidão.

E cada uma de nossas diferenças
Conheceu a plenitude do acolhimento,
Assim como o grande oceano
É paz e liberdade para o rio e o regato,
E o ventre materno é aconchego e segurança
Para o rebento em formação.
E quando cessavam as palavras,
Sobrevinha a eloquência do silêncio
E cada coração continuava a escutar
Os não ditos, numa alegria silenciosa
E a verdade de cada espírito, sem barreiras,
Transitava, iluminando nossas consciências.

GÊNESE
formação, origem

INFINDO
sem fim; ilimitado

DELEITE
sensação de
intenso prazer, de
grande satisfação

ANTESSALA
sala que antecede
a sala principal

DESVELAR
fazer conhe-
cer; revelar

REGATO
riacho, córrego

REBENTO
filho

ELOQUÊNCIA
expressividade

E nela houve lugar para a mutação
E igual espaço para a permanência,
Pois que na dinâmica da vida
Se somente houvesse movimento,
Nada se consolidaria,
E se só houvesse estabilidade,
Tudo seria estagnação.

Agora que o fluxo das marés me leva para outras plagas,
E nos percebemos em distintos momentos do existir,
Chega o instante da partida.
Que ela seja possuída pela certeza
    da impossibilidade da ausência,
Pois nenhuma distância afasta aquilo que se tornou uno
E nenhum tempo apaga o que foi gravado na eternidade.

ESTAGNAÇÃO
falta de progresso,
de movimento,
de atividade;
paralisação

PLAGA
região

UNO
que é um só;
indivisível

JAMAIS NOS APARTAREMOS,
POIS EXISTIMOS UM NO OUTRO
COMO MARCAS INDELÉVEIS
QUE NENHUM SOPRO
DA VIDA ACABARÁ.
NUNCA SE ESMAECERÃO
AS LEMBRANÇAS,
POIS EM NÓS ARDE A CHAMA
DA MAGNA AMIZADE.

XII

União Espiritual

$\mathcal{E}$ LIAKIM E ÁQUILA APROXIMARAM-SE DO PRO-feta e pediram:

"Abençoa a nossa união."

E o Mestre respondeu:

"Vós buscais um ao outro desde a nascente do rio do tempo, e continuareis até vos tornardes hóspedes do eterno, pois o que mais anseia cada ser é tornar-se uno como os regatos, que de longes terras vêm e se juntam em rio caudaloso para se entregar ao oceano.

"Que essa união seja ascese, e nela se estampe a marca do divino. Assim, permanecereis juntos através das distâncias e conhecereis a mutação, mas não o afastamento.

"E que nessa junção haja um espaço em que cada um possa ser ele próprio.

"E ao beber o mesmo vinho, fazei-o em taças diferentes. E comendo o mesmo pão, tomai o vosso pedaço, pois que para vibrar na mesma harmonia, as cordas musicais, embora pró-ximas, não se confundem, e árvores frondosas não crescem à sombra uma da outra.

"Vivei em simbiose como a abelha e a flor, que se presen-teiam mutuamente e fazem com prazer sua tarefa no pomar, pois que para ambas dar e receber são uma necessidade e um deleite, de modo que a liberdade será a matriz de vosso enlace e os dias de convívio não trarão grilhões.

"E quando o fluir da vida conduzir um de vós à posição de linha, que o outro abra caminhos como agulha, pois ambos são essenciais no ato de tecer. E se um se apresentar como onda do mar, que o outro se posicione como areia da praia que a aconchega, pois se um faltar, não perceberemos a beleza do fluxo das marés. Assim, a diferença será sentida como riqueza e o encontro, uma sinergia.

"E que o olhar seja paz; a fala, ternura; e mais ternura ainda, o silêncio. E que a escuta seja acolhimento e o tocar, vitalidade. A presença seja encanto e a ausência, certeza, ainda que mesclada com saudade.

"E quando o fluxo dos eventos trouxer sofrimento, usai o bálsamo da solidariedade, pois assim, podereis contemplar com serenidade o inverno de vossa aflição. E quando chegarem as volutas do prazer, apreciai cada instante em comunhão, guardando cada momento no âmago do coração. E lembrareis deles com vigor, mesmo quando as cores dos fatos se esmaecerem.

"Que não faltem razão e sensibilidade, pois elas são a bússola e o motor de vosso espírito navegante. Mas que a razão não traga indiferença e a sensibilidade não seja temor.

"E se houver mágoa, que seja como as brumas do alvorecer que se dissolvem aos primeiros raios de sol do perdão. Não aceiteis a visita dos deuses do poder, pois seus presentes são dominação ou submissão. E onde estas aparecem, estéril se torna o solo da partilha.

"Que se pronuncie o sim e se verbalize o não. Mas que nem o sim nem o não ofusquem o diálogo e a possibilidade de transcendência.

SINERGIA
ação conjunta que produz um resultado melhor que o de ações isoladas

BÁLSAMO
consolo, alívio

CONTEMPLAR
apreciar

VOLUTA
espiral

ÂMAGO
íntimo; essência

VIGOR
intensidade

ESMAECER
perder a intensidade; enfraquecer

BRUMA
nevoeiro

ALVORECER
amanhecer

TRANSCENDÊNCIA
qualidade de ultrapassar os limites físicos

"Que nessa construção haja lugar para outros, quer se chamem ancestrais, quer descendentes, quer convivas, pois o afeto que se enclausura desconhece sua própria potência e, como o mar Morto, ignora a satisfação de transbordar-se.

"E que o ontem seja lembrança, mas não frustração. E o amanhã, sonho, mas não ansiedade. E que ambos se fundam num agora, que abracem o passado, com nostalgia, e o futuro, com deslumbramento.

"E, quando Cronos, o devorador dos eventos, conduzir-vos ao portal da eternidade, possam os que ficam afirmar:

"Metade da vida foi amor, a outra metade também."

VÓS BUSCAIS UM AO OUTRO DESDE
A NASCENTE DO RIO DO TEMPO, E
CONTINUAREIS ATÉ VOS TORNARDES
HÓSPEDES DO ETERNO, POIS
O QUE MAIS ANSEIA CADA SER É
TORNAR-SE UNO COMO OS REGATOS,
QUE DE LONGES TERRAS VÊM E
SE JUNTAM EM RIO CAUDALOSO
PARA SE ENTREGAR AO OCEANO.

XIII

Cansados e Oprimidos...

OH! CANSADOS E OPRIMIDOS... VINDE A MIM E EU vos aliviarei.

Prossegue a sinfonia das palavras que emanam dos lábios do Mestre...

E quão exaustos estão os seres humanos!

Uns, curvados pelo peso das querelas cotidianas; outros, enfastiados pela rotina do trabalho sem criatividade; outros, ainda, exauridos pelos esforços repetitivos, na tentativa de renovar estruturas sociais; e muitos se sentem sem força e vitalidade para gerir seus próprios dramas existenciais, conflitados e desarmônicos, perambulando sem rumo nos mundos sombrios das próprias inquietações.

Assim, a vida é percebida como opressão: de forças convergentes entre o contexto histórico e as circunstâncias sociais de uma parte, e o momento existencial evolutivo de outra.

Quando o sentimento de exaustão se expande em ritmos opressivos e paralisantes, a voz do Mestre, confiável e solidária, assegura que os seguidores da Boa-nova encontrem alívio na Sua presença. O fardo dos percalços da vida se torna leve e o jugo das forças da existência apresenta-se suave. E essa Presença se faz na própria consciência interior, em que está a fonte do reino dos céus da qual promanam os eflúvios reconfortadores para as lutas da evolução.

As refregas, por mais árduas que possam parecer, são amenizadas pelas blandícias desse oásis íntimo, em que o divino se faz natural, e as provações, por mais significativas, são aliviadas em seus aspectos dolorosos pelo bálsamo suavizante que a alma encontra no jugo da lei de Deus, tornando leve o fardo das obrigações transitórias...

Os opressores do mundo são apenas agentes do bem, pois que, no sistema divino, tudo que surge travestido de maldade trabalha para aprimorar a alvorada evolutiva dos atingidos... E a ascese, quando se apreende esse sentido, se torna mais rápida e brota no ser uma gratidão muito peculiar pelos enganados algozes de um momento...

E, ao mesmo tempo em que as forças entrópicas do mundo tentam estagnar o progresso, atuando agressivamente contra os que são sentinelas do bem, estes, por sua vez, recebem pela inspiração, pelo fluir de energias psíquicas e pela introspecção, os tesouros inacessíveis da verdadeira felicidade, da plena vida que o tempo e as agruras do efêmero não conseguem penetrar, ou mesmo, de leve, embaçar o brilho.

As opressões lapidam os sentimentos e os quereres, amadurecem um sentido de liberdade que transforma os grilhões da escravidão do mundo em ferramentas do progresso espiritual.

Quando a exaustão ocorre, ainda assim, os seguidores da Boa-nova bebem na fonte vitalizante do amor evangélico o entusiasmo necessário, que, como tônico imponderável, os faz prosseguir sempre...

A mensagem do Evangelho é preparatória de uma civilização da felicidade. A alegria de existir é a consequência natural da coragem de viver segundo os seus ditames. Sentimo-nos cansados e oprimidos quando não aderimos com precisão às suas lições, e, apesar das preces, não somos capazes de dormir serenos.

E porque ninguém quer servir à causa divina de modo integral, atraídos pelo brilho das promessas imediatistas da prosperidade material, o viver é uma luta insana, em que prevalece o interesse pelos negócios temporais, que aumentam a inquietação pelo futuro, o medo da volubilidade da fortuna, o gasto de energia psíquica sem reabastecimento na Fonte Divina.

A todos esses, o Mestre, na vasta compreensão dos movimentos da alma, promete auxiliar no processo singular de busca da plenitude.

Os cansados e oprimidos deverão, entretanto, saber acolher a oferta, não se dando por vencidos nem se tornando desesperançados. Tornar o fardo leve e o jugo suave exige uma condição: entregar-se ao Maior entre os maiores, até a unificação em definitivo com o eterno.

A mensagem do Evangelho é preparatória de uma civilização da felicidade. A alegria de existir é a consequência natural da coragem de viver segundo os seus ditames. Sentimo-nos cansados e oprimidos quando não aderimos com precisão às suas lições, e, apesar das preces, não somos capazes de dormir serenos.

XIV

Celebrando a Vida

OH! VIAJOR,
Que dizes trilhar os ínvios caminhos da vida
Em percursos cheios de incertezas e óbices,
Ora atravessando terras áridas de sentimento,
Ora navegando em oceanos encapelados de dor.

E afirmas conhecer a solidão mais profunda
Mesmo quando cercado de teus semelhantes,
Que te veem em aparência transitória
E longe estão de partilhar o que és;
Prontos estão para te aplaudir,
Mas nunca para te estender a mão
Ou escutar os teus silenciosos apelos.

Desiludido, pensas repetidas vezes:
A felicidade é quimérica invenção
De mentes ingênuas em desvario.
Viver é tomar consciência
De uma sucessão de eventos e perdas,
Entre dois clarões intensos do nada,
Uma insana repetição de lutas
Para adiar um desfecho fatal.

Ou então, refletes melancólico:
Que é a vida senão uma busca incerta
De condutas ideais que aliviem
Os temores sobre o grande mistério,
Que fica além dos umbrais da morte?

E contemplas a ti mesmo
Como minúscula criatura,
Perdida na imensidão cósmica,
Tão frágil, tão finita e tão efêmera
Quanto lírios e libélulas,
Que aparecem e findam em poucas auroras.

E, ao sentir-se em tamanho desamparo,
Transitando num mundo tão opressor,
Não alimentas outras aspirações
Que não aquelas geradas no seio da amargura,
Entre o desejo de não ser e a angústia do devir.

E, em perene cansaço psíquico,
Experimentas a melancolia
Como companheira de tuas horas de silêncio,
E o desencanto como presença silenciosa
De teus momentos de quefazer.

No auge da angústia existencial, indagas:
Para que viver, para que viver?
E solicitas ao desconhecido ou a um deus,
Não somente a morte, mas a não existência
Que te retire desse engodo sinistro,
De aspirar o inalcançável e sonhar o impossível,
Realizando no engano universal, chamado vida,
O que se desfaz na verdade última, chamada morte.

CONTEMPLAR
analisar

EFÊMERO
passageiro,
temporário

AURORA
claridade que
aponta o início
da manhã, antes
do nascer do
Sol; amanhecer

OPRESSOR
que impõe domí-
nio pela força

ANGÚSTIA
ansiedade in-
tensa; aflição

DEVIR
vir a ser;
passar a ser;
transformar-se

PERENE
que não termi-
na; duradouro

MELANCOLIA
tristeza sem cau-
sa definida, por
vezes acompanha-
da de uma sau-
dade imprecisa

QUEFAZER
ocupação; tra-
balho rotineiro

INDAGAR
interrogar

ENGODO
cilada; engano

Oh! viajor,
Tuas percepções acanhadas e disformes
Te inundam de um desespero imenso
E te tornam incapaz de perceber a ti mesmo,
E te fazem cego ao teu próprio caminhar
E te deixam surdo às sinfonias da existência.
E te tornam insensível aos mistérios das coisas
E te aprisionam num tempo e num espaço,
Em que reina a impermanência e governa o temor.

Oh! alma cansada,
Levada pela descrença aos pélagos do sofrimento
Por um momento, concede-te o benefício da dúvida
Às tuas certezas tão dolorosas;
E abre teus sentidos multiformes
Aos ritmos criativos do universo.

Perceberás, para teu imensurável deleite,
Que és muito mais que pensas e sentes;
E te descobrirás um retalho do infinito,
Valioso átomo, compondo a sua tessitura
Em dinâmica transformação.
E te reconhecerás um pedacinho de Deus,
Vivendo um recorte de eternidade.

E te deslumbrarás com a sabedoria da grande lei
E a <u>onipresente</u> harmonia do cosmo
Que, por meio de infinitas formas,
Faz a essência divina manifestar-se
Cada vez mais complexa e <u>transcendente</u>.

Então perceberás tua vida
Como nota fundamental de uma sinfonia.
E teus atos, representação existencial
De um perene e <u>profícuo</u> avançar
Em direção à sonhada plenitude

E tua solidão se <u>desvanecerá</u>,
Pois ela é apenas a <u>clausura</u>
Em que enredas tuas percepções,
Pois és parte/todo e todo/parte
Da grande cadeia dos seres
Que unem o átomo ao <u>Verbo Criador</u>.

Então, vibrarás em oração doce
Que brota como um canto d'alma feliz
E ecoa, de <u>fraga</u> em fraga, na terra dos sentimentos
E, de onda em onda, no oceano dos pensamentos,
Atravessando as dimensões <u>estelares</u> do espírito,
Dizendo que és pura gratidão à vida,
<u>Ansiando</u> <u>aninhar</u>-se no seio do infinito amor.

ONIPRESENTE
presente em
todos os lugares

TRANSCENDENTE
que ultrapassa
os limites físicos;
superior, sublime

PROFÍCUO
que tem êxito; pro-
veitoso, frutífero

DESVANECER
desaparecer;
dissipar

CLAUSURA
local fechado;
isolamento

VERBO CRIADOR
Deus

FRAGA
rocha escarpa-
da; penhasco

ESTELAR
relativo às
estrelas

ANSIAR
desejar
ardentemente

ANINHAR
abrigar; acolher;
acomodar

Perceberás, para teu
imensurável deleite,
Que és muito mais que
pensas e sentes;
E te descobrirás um
retalho do infinito,
Valioso átomo, compondo
a sua tessitura
Em dinâmica transformação.
E te reconhecerás um
pedacinho de Deus,
Vivendo um recorte
de eternidade.

XV

Vínculo Divino

QUANDO SOUBE DE TUA EXISTÊNCIA,
    nos albores da minha vida,
    Ingênuo, vislumbrei-Te como
uma onipresença invisível,
Com silhueta, quereres e poderes humanos,
Imensamente ampliados, atento aos meus deslizes,
Pronto a exercer Teu papel corretivo, ainda que educador.
E temi a Tua presença, pois reconhecia
    minha incapacidade
De cumprir tantas e tão complexas normas
Para estar em consonância com Tua vontade.
E sofri a constante presença do medo de estar equivocado,
De não ter cumprido devidamente cada lição ensinada
Por zelosos reveladores de tuas leis,
E de não ter feito, em tempo hábil, o esperado
Previsto em algum desígnio misterioso.
Desconheci, nesse tempo, na relação contigo,
Qualquer deleite, mesmo o simples prazer transitório,
Pois concentrado em não cometer erros,
Nem sequer gozava os poucos acertos
    tidos como mera obrigação
De quem se dispunha a se livrar de uma pena dolorosa.

Um dia, um douto encanecido, com voz tonitruante,
Falou do púlpito, onde se difundia uma versão de Ti,
Que Tu não perdoas em hipótese alguma.
Desejei não existir, hoje talvez diria, não ser,
Tremenda era a ansiedade que me dominou.

ALBOR
princípio;
amanhecer

VISLUMBRAR
ver sem nitidez

ONIPRESENÇA
presença em
todos os lugares

QUERER
desejo; vontade

CONSONÂNCIA
concordân-
cia, acordo

ZELOSO
atencioso;
cuidadoso

DESÍGNIO
propósito

DELEITE
sensação de
intenso prazer, de
grande satisfação

DOUTO
muito instruí-
do, sábio

ENCANECIDO
grisalho

TONITRUANTE
barulhento
como o trovão

PÚLPITO
lugar alto, de
onde fala um
orador; tribuna

Logo, porém, sua voz sábia esclareceu
Que perdoar é humana e necessária atitude
Dos que ainda orgulhosos se ofendem
Diante de estímulos desagradáveis de outros.
Entretanto é impossível, à criatura, ofender-Te,
Pois estás além de todo ressentimento;
E feito de amor, és o vínculo que nos une,
Ainda que inscientes descumpramos a Tua lei
E vivamos as variadas consequências,
Sob a forma de dor e medo, angústia e tristeza.

INSCIENTE
que não está ciente; ignorante

ANGÚSTIA
sofrimento; aflição

Aliviado descobri, no portal da adolescência,
Que por Ti não há julgamento nem punição,
Mas atração para um mundo de bem-aventurança
Por livre adesão e íntimo bem-querer.
Então Te percebi um sábio companheiro
Atento às minhas limitações e potenciais,
Orientando sem opressão, aguardando o tempo certo.
E a Ti busquei em aflitivos momentos de dúvida
Sobre qual escolha me levaria mais célere
Ao reino do pleno amor aspirado.
Envolvido na conjuntura do mundo e suas demandas,
Algemado pelos atavismos de uma história psíquica,
Não percebi que Tu esperavas a minha decisão
De entregar-me sem reservas à Tua plena vontade.
E continuei meu passo nos caminhos da vida,
Demasiadamente entregue ao meu oscilante querer,
Ora revivendo o passado que teimava em presentificar-se,

CÉLERE
rápido, ligeiro, veloz

CONJUNTURA
circunstância, situação

ATAVISMO
suposta transmissão hereditária de habilidades, comportamentos, características intelectuais ou psicológicas

Ora esforçando-me para tornar realidade
    aspirações do meu <u>devir</u>.
Algo me impulsionava para a grandeza
    do Teu infinito amor,
Outro algo me retinha nas lutas de afirmação <u>egoica</u>.

Assim, permaneci nos compromissos
    da vida adulta jovem
Entre sonhos, sucessos, <u>dissabores</u> e incertezas,
Como <u>sói</u> acontecer em qualquer passagem pelo mundo.
Quando me dei conta, havia despertado
    para um novo perceber
E, pelas vias da <u>contemplação</u>, compreendi
Que havia "desumanizado" completamente
    a Tua presença,
Pois, como Ser Supremo, além de todas as formas,
Não cabias nas minhas gaiolas conceituais e afetivas.
Não mais Te reduzi a sensoriais percepções,
Nem Te traduzi em conceitos e atributos,
Tão empobrecidos eram os resultados.

Hoje, na madureza da <u>vilegiatura</u> física,
Ainda distante da Tua verdadeira natureza,
Tento realizar a difícil tarefa de silenciar
Pensamentos, emoções, valores e atitudes
Para perceber-Te, além de todos os sentidos,
Como a perfeita <u>imanência</u> e a plena
<u>Transcendência</u>.

HOJE, NA MADUREZA DA
VILEGIATURA FÍSICA,
AINDA DISTANTE DA TUA
VERDADEIRA NATUREZA,
TENTO REALIZAR A DIFÍCIL
TAREFA DE SILENCIAR
PENSAMENTOS, EMOÇÕES,
VALORES E ATITUDES
PARA PERCEBER-TE, ALÉM
DE TODOS OS SENTIDOS,
COMO A PERFEITA
IMANÊNCIA E A PLENA
TRANSCENDÊNCIA.

XVI

Quando

Q UANDO PERCEBERMOS QUE NA DIVERSIDADE das formas e dos fenômenos há uma unidade essencial, e que uno e verso são duas faces da mesma realidade;

Quando compreendermos que nossas análises são fragmentárias e limitadas e podem ser complementadas pelas sínteses;

Quando soubermos que a matéria é o verso do espírito, realidade restrita que se transforma e se complexifica pela influência da consciência do ser que a constitui;

Quando entendermos que tudo que aparece é existência em movimento manifestando a essência atemporal, imutável, divina;

Quando sentirmos que a separatividade em todos os campos do saber é um mero viés da razão, superável pela intuição e outras fontes do conhecimento;

Quando tivermos consciência de que a objetividade tão decantada no mundo é, fundamentalmente, uma intersubjetividade construída pelos nossos aparelhos de percepção;

Quando contemplarmos o universo como uma imensa teia de seres hierarquizados do átomo ao arcanjo;

Quanto percebermos que o tempo é um recorte da eternidade e o espaço, um retalho do infinito, e que nossa constituição é imortal;

Quando compreendermos que viver é tomar consciência de um fluir, do simples para o complexo, do fragmentário para o unificado, do insciente para o consciente – marcas universais da evolução;

Quando conhecermos a suprema fonte de toda transmutação evolutiva – o amor – e a encontrarmos nas manifestações da existência em vários graus de plenitude;

Quando soubermos que a nossa história – singular, única, irrepetível – é parte da grande saga do reencontro consciente com a totalidade...

Então, descobriremos o verdadeiro significado da existência, a multiplicidade de planos da manifestação, a exuberante diversidade de formas criadas, todas elas, para apresentar, em cada instante do fluir da impermanência, a presença inefável da fonte genética e mantenedora de tudo e de todos: o Absoluto, o Inefável, o Vácuo Criador, o Inominado, Deus, designações empobrecidas para dizer de nosso deslumbramento diante da Fonte Suprema de nossa realidade.

E saberemos que existir é manifestar a natureza do ser, toda ela tecida de amor.

Amor a si mesmo, que nos faz cuidadosos com nossos organismos multidimensionais e palingenésicos, e nos transforma em cultivadores da perfeição possível, nas circunstâncias evolutivas em que nos entranhamos.

Amor ao outro, em multifárias apresentações, sejam elas pessoais, sociais comunitárias, ecológicas, interexistenciais, numa atitude respeitosa, partilhada e estimuladora da dinâmica da evolução.

Amor ao transcendente, além do humano, transpessoal, numinoso, verdadeira adoração que nos põe em atitude de submissão ao Supremo, de entrega ao divino, de servidão libertadora no reino da plenitude.

E compreenderemos que cada instante no trânsito da existência é oportunidade de manifestar essa amorosidade:

– pela imersão nos mistérios do mundo exterior como ciência objetiva;

– pela dedicação à busca das causas primaciais e suas manifestações metafísicas nas tertúlias filosóficas;

– pelo ato contemplativo, nascido da fé, que nos faz religiosos;

– pela entrega à realização do belo como modo de ser artístico.

Assim, tudo que vivermos terá sentido e significado e nosso existir será um contributo valioso à saga cósmica.

QUANDO SOUBERMOS QUE A
NOSSA HISTÓRIA – SINGULAR,
ÚNICA, IRREPETÍVEL – É PARTE DA
GRANDE SAGA DO REENCONTRO
CONSCIENTE COM A TOTALIDADE...
ENTÃO, DESCOBRIREMOS O
VERDADEIRO SIGNIFICADO
DA EXISTÊNCIA [...]
E SABEREMOS QUE EXISTIR É
MANIFESTAR A NATUREZA DO
SER, TODA ELA TECIDA DE AMOR.

XVII

em Busca da
Presença Divina

Q UANDO O DISCÍPULO PROCUROU O MESTRE querendo indagar-lhe sobre o caminho para Deus, sonhava alcançar a suprema felicidade, além de todas as lutas e todas as dores, pois cansado estava de realizar os ritos do mundo, e seguir, sem êxito, as fórmulas das religiões.

Ao vê-Lo na solidão de um ambiente empobrecido, com olhar centrado no longe de seus devaneios, aproximou-se em passos silenciosos e, em quietude corporal, pôs-se ao Seu lado, aguardando o momento de ser percebido, em ânsia mal contida de saber sua resposta.

E sua mente, sem se dar conta de imediato, transformou-se em receptiva antena das íntimas reflexões de seu Mestre, que sem abrir uma vez sequer os lábios, ou dirigir-lhe um olhar de atenção, respondeu sem palavras ao discípulo ansioso:

"Vós despertastes para a realidade última, e mesmo não a conhecendo, quereis encontrá-la.

"E vossa vontade para com ela vos inclina como as florações buscam a luz e, insatisfeito com as realidades do cotidiano, delas imaginais fugir para o regaço divino.

"Oh! vós O procurastes, ativamente, nas pedras dos templos e nas aparências das formas, com os limitados sentidos do espaço e do tempo, e Ele vos pareceu ausente ou invisível.

"O vosso desencanto e a vossa descrença foram tão imensos que mergulhastes nas correntes áridas do ceticismo.

"Porém, se vos utilizardes dos olhos da contemplação, vós O vereis no templo eterno da natureza, pois é Sua manifestação o zimbório constelado de astros, em prodigiosa viagem pelo infinito, e O enxergareis na imensidão dos oceanos e na vastidão dos horizontes montanhosos.

"E, se os ouvidos de vossa alma ficarem atentos, escutarão a sinfonia do cosmo em expansão e a melodia dos seres que anseiam perpetuar-se.

"E ouvireis o cântico do amor incomensurável, que permeia o esplendor da natureza, revelando a estesia de Sua Presença.

"E, se em vossa busca tentardes perceber o Divino com um sentimento nascido de um coração puro, o mistério da Sua presença vos será desvelado, pois que sua natureza íntima é amor.

"E, ao buscá-Lo pelas vias do afeto incondicional, Ele vos mostrará a face bem-aventurada.

"Então, percebereis que Deus habita o mundo, desde a remota alvorada de sua criação.

"E que Ele teceu as matrizes das coisas e seres com fios extraídos de sua própria substância.

"E, além de sua divina imanência cósmica, nada há senão a verdade transitória dos sentidos.

"E, ao vos dirigirdes ao âmago de vosso ser, numa viagem desbravadora de si a si mesmo, rompendo as amarras dos padrões do ego e ultrapassando as múltiplas memórias, indo além de toda consciência pessoal, encontrareis novamente a Divina Presença.

"Porventura, poderíeis ser de outra natureza, diferente daquela que vos deu a gênese?

"Não é Ele a fonte primacial da existência, a origem de toda substância e toda forma?

ANSIAR
desejar ardentemente

PERPETUAR
fazer durar para sempre

INCOMENSURÁVEL
que não pode ser medido, avaliado; imenso

PERMEAR
estar presente em

ESPLENDOR
qualidade do que é grandioso

ESTESIA
sensibilidade; capacidade de perceber, de experimentar o sentimento da beleza

DESVELADO
retirado o véu; revelado

IMANÊNCIA
qualidade do que pertence à substância ou essência de algo, à sua interioridade

ÂMAGO
íntimo; essência

EGO
núcleo da personalidade de uma pessoa

GÊNESE
formação, origem

PRIMACIAL
primordial; mais importante

"Como, pois, querer que os efeitos sejam essencialmente diversos da causa?

"Compreendereis, então, que a procura do divino é a superação da inexistente distância que a inconsciência egocentrada engendrou.

"E, quando a sabedoria suceder a ignorância, vossa busca terá sido o árduo trabalho de encontrar Aquele que nunca esteve separado de ti."

EGOCENTRADO
que toma a si próprio como referência para tudo ou que se preocupa unicamente consigo mesmo

ENGENDRAR
criar, inventar; conceber na imaginação

ÁRDUO
difícil de ser realizado ou cumprido

COMPREENDEREIS QUE A
PROCURA DO DIVINO É A
SUPERAÇÃO DA INEXISTENTE
DISTÂNCIA QUE A INCONSCIÊNCIA
EGOCENTRADA ENGENDROU.
E, QUANDO A SABEDORIA SUCEDER
A IGNORÂNCIA, VOSSA BUSCA
TERÁ SIDO O ÁRDUO TRABALHO
DE ENCONTRAR AQUELE QUE
NUNCA ESTEVE SEPARADO DE TI.

XVIII

na Plenitude

INEXPRIMÍVEL
que não se pode
manifestar

VIR A SER
tornar-se; futuro

EFÊMERO
passageiro,
temporário

IMPERMANENTE
que não é
permanente

TRANSMUDAR
transformar

SACRO
sagrado

ANALÍTICO
relativo ao estu-
do de um todo
pelo exame de
suas partes

SÍNTESE
formação de um
todo partindo
de elementos
mais simples

INDIZÍVEL
que não pode
ser expresso
por palavras

DESVELADO
retirado o véu;
revelado

ABDICAR
renunciar por
vontade própria

MÍSTICO
espiritual

ÊXTASE
encantamento;
estado de quem
se encontra como
que fora de si e do
mundo sensível

O TEMPO, FRAGMENTO DA DURAÇÃO, FOI absorvido pela eternidade.

O tradicional fluir dos eventos, do futuro para o passado, converteu-se num presente inexprimível.

Cessaram a ansiedade do vir a ser e os efeitos das recordações. Tudo se integrou num contínuo agora.

Desapareceram da percepção os últimos vestígios do efêmero. E o imutável acolheu em seu seio o impermanente.

O espaço, berço em que se aninham as formas e se constitui a matéria, consumiu-se no infinito. Não houve mais lugar para a extensão.

A multiplicidade das coisas transmudou-se numa unidade substancial, princípio ou lei, além do mundo dos sentidos físicos.

O relativo, detalhe do todo, no absoluto se imobilizou.

O sacro mistério, mal divisado pelas sensações, descrito em pedaços pela mente analítica e apreendido em sínteses indizíveis pela intuição, finalmente foi desvelado por uma vivência além do concebível.

O "eu", construtor de todo separativismo, finalmente abdicou da aspiração de centro de si mesmo e do universo. Entregou-se ao Todo, divina presença, que o constituiu e o acompanhou em toda a sua trajetória. Aconteceu a unificação.

E numa reconfortante constatação, o ser se percebeu Sua imagem e semelhança.

O Todo, então, passou a se expressar por meio desse "eu", em mística comunhão.

A musicalidade cósmica se pôs a cantar no mundo interior da criatura em êxtase. As distinções feneceram.

A vida, os seres e os fenômenos não foram mais identificados como exteriores. Pulsaram dentro do ser e exprimiram em suas linguagens próprias a grande harmonia que é sentida na profundidade.

A palavra "eu" assumiu um significado diferente. Morreu no egocentrismo fragmentador para ressurgir no íntimo de todas as coisas e eventos.

As barreiras desfeitas permitiram que o universo irrompesse no âmago do ser. Extasiado, ele sentiu que todo conhecimento era limitado, todo entendimento era restrito. No máximo, eram degraus até alcançar-se a vivência de totalidade.

A verdade apresentou-se tangível. O Todo foi percebido como real, ativo, atual, presente no íntimo do ser e além dele. Fundiram-se o imanente e o transcendente, num amplexo que os tornou indistinguíveis.

O ser inebriado se deixou invadir por ressonâncias transcendentais. A mais sublime das sinfonias lhe parecia como disritmias acústicas, e a mais harmônica das danças lhe trazia sensações de movimentos assincrônicos, tal a grandeza da divina integração.

FENECER
acabar, terminar

EGOCENTRISMO
egoísmo

IRROMPER
aparecer de repente

ÂMAGO
íntimo; essência

EXTASIADO
que está em estado de êxtase; encantado

TANGÍVEL
tocável; palpável

IMANENTE
que está inseparavelmente contido em sua natureza

TRANSCENDENTE
que ultrapassa a natureza física

AMPLEXO
abraço

INEBRIADO
arrebatado

RESSONÂNCIA
repercussão

TRANSCENDENTAL
superior, sublime

DISRITMIA
ritmo alterado ou anormal

ACÚSTICO
próprio do som

ASSINCRÔNICO
que não apresenta sincronia

Ardeu em seu âmago uma paixão irresistível que o fez gravitar em torno daquele Ser Cósmico, sentido como o Uno, o Indivisível, o Onipresente, a Essência e também a Manifestação, o Verso, o Plural, a Existência. Nada há além dEle. Ele é o bem-amado de todos os sonhos, de todos os encantos, de todos os êxtases.

Nesse estado, o verdadeiro, o belo e o bom convergiram. E a criatura, embevecida, contemplou a magnificência da ordem universal.

Uma onda de amor jamais sentida tornou todos os seres do cosmo seus companheiros incondicionalmente amados.

Apareceu, então, a certeza de ter atingido o cerne da suprema sabedoria. E o ser, enfim, compreendeu o que era viver em plenitude.

UNO
único; singular

ONIPRESENTE
presente em
todos os lugares

EMBEVECIDO
encantado;
maravilhado

CONTEMPLAR
olhar com
admiração

MAGNIFICÊNCIA
esplendor;
grandiosidade

CERNE
parte central
ou essencial

UMA ONDA DE AMOR JAMAIS
SENTIDA TORNOU TODOS OS SERES
DO COSMO SEUS COMPANHEIROS
INCONDICIONALMENTE AMADOS.
APARECEU, ENTÃO, A CERTEZA
DE TER ATINGIDO O CERNE DA
SUPREMA SABEDORIA. E O SER,
ENFIM, COMPREENDEU O QUE
ERA VIVER EM PLENITUDE.

XIX

Decálogo do Aprendiz

E VONTADE FIRME, O APRENDIZ DAS COI-
sas do eterno e do absoluto entregou-se ao ato
de conhecer diferentes culturas e tempos, cio-
so de que, das lições do passado, extrairia a fórmula preciosa
para viver a plenitude do encontro com Deus.

De imaginação fértil, mente empolgada pelos devaneios do
intelecto, projetava-se num devir, em que se via em completo
domínio da ciência do divino. Para realizar tal desiderato, não
poupou esforços em redescobrir os ensaios teológicos que, de
tão diversos, mostravam múltiplas visões e confusas possibilidades de alcançá-lo.

O tempo e a vida ensinaram-lhe, porém, que o conhecimento pela razão não abarca o que a gerou. Como pode o
intelecto, conceitual e lógico, apreender o ilimitado, o infinito,
o absoluto? E todas as teologias pareceram-lhe empobrecidas
tentativas de explicar o que está além de todo raciocínio.

Não desistindo de seus inquietantes sonhos de aspiração
de encontro com o divino, num nirvana sem ansiedades ou
quaisquer outros sofrimentos, aprofundou-se um pouco mais
em suas buscas, por exemplos vividos e experiências relatadas,
nas estranhas minorias que dissentiam do mundo, em todas
as civilizações.

E na variedade de expressões e hábitos, costumes e relatos,
formou seu próprio decálogo:

Se O buscas com os sentidos, Ele te parecerá múltiplo. Se
fazes isso com a razão, Ele será um conceito afastado de um
universo dual. Se a Ele procuras pela intuição, será descoberto
como uno.

Se tentas encontrar a felicidade nas coisas do mundo, teu esforço será inútil. O máximo que conseguirás é prazer efêmero entremeando medos e perdas. A única possibilidade real é transformar-te em plena manifestação do divino.

Se vives a devorar informes de outros intermediários e a variar de templos e rituais, à procura do sobrenatural e do fenomênico, pensando encontrar a divina presença neles, terminarás teus dias como bandeirante que descobriu pedras comuns e as confundiu com preciosidades.

Não descanses enquanto não realizar o teu encontro com o divino. Agradece todas as mensagens e mensageiros, mas não te dês por satisfeito enquanto não viveres tua própria experiência. Não acredites em distâncias quando se trata de Deus. Nessa busca não há longe nem perto.

Quanto mais te aproximares do oculto que há em ti, mais facilmente encontrarás Deus. Esquece a fantasia de chamares a atenção do mundo sobre ti. O Ser Essencial, que tudo gerou, conserva e renova, se esconde em Sua própria criação.

Ninguém pode encontrar a plenitude se fica extasiado com as paisagens do caminho ou se contenta com as migalhas espirituais dos primeiros resultados. Cuida, pois, de aproveitar os estímulos dos fenômenos sem torná-los algemas. Reconhece que eles são leves movimentos de Deus para fortalecer-te nas agruras do cotidiano.

Ao te tornares um amante do divino, o amor ao mundo continuará sem máculas de egoísmo, sem apegos individuais, sem a cegueira dos sentidos, da finitude, das limitações da morte, da dor da separação, da inconstância e do esquecimento.

EFÊMERO
passageiro, temporário

ENTREMEAR
colocar entre; misturar

FENOMÊNICO
realidade como aparece ao sujeito conhecedor

BANDEIRANTE
indivíduo que no Brasil colonial tomou parte em uma expedição

EXTASIADO
que está em estado de êxtase; encantado

AGRURA
dificuldade; sofrimento físico ou espiritual

MÁCULA
mancha

FINITUDE
condição do que tem um fim; limitado

O verdadeiro começo para a comunhão divina acontecerá quando, por vontade própria, depositares tua atenção integralmente nEle, afastando-se dos pensamentos inquietos do cotidiano. Sua resposta aos teus anseios depende do silêncio de tua mente.

Se tentas encontrar a plenitude, seguindo os códigos morais e resolvendo os problemas de consciência, verás que, resolvidos uns, logo outros os substituem. Faze como o homem do <u>Evangelho</u>, que vendeu todos os bens para comprar o terreno onde estava o tesouro. Concentra-te em entregar-te a Deus – única e definitiva solução.

E quando te recolheres em oração, lembra-te dEle como <u>recôndito</u> eu do universo, alma do todo, <u>gênese</u> e destino de todos e de tudo, presença <u>inefável</u> e potência invisível que dirige mundos e vidas para a perfeição manifesta, ato puro de amor que nos permite amá-Lo ao sabor de nosso <u>livre-arbítrio</u>.

Além do decálogo, o discípulo percebeu que havia algo em comum em tantas e tão distintas vidas missionárias. Elas se norteavam por um mandamento:

"Ame-O, simplesmente. O amor não pergunta, não discute, oferece-se e entrega-se, pois, que mais deseja quem ama, senão <u>transfundir</u>-se no amado e nele <u>abismar</u>-se?"

Desde então, em <u>ânsia</u> de amor, tem procurado o infinito amor nos encontros com o outro, no mergulho no mundo, na viagem para o <u>âmago</u> de seu ser e nos instantes <u>abissais</u> de solidão <u>contemplativa</u> do <u>transcendente</u>.

Além do decálogo, o discípulo percebeu que havia algo em comum em tantas e tão distintas vidas missionárias. Elas se norteavam por um mandamento: "Ame-o, simplesmente. O amor não pergunta, não discute, oferece-se e entrega-se, pois, que mais deseja quem ama, senão transfundir-se no amado e nele abismar-se?"

XX

aos Idealistas
(na hora do
desencanto...)

S ONHAS COM O PARAÍSO E FICAS EMBEVECIDO com tuas utopias, mas não sabes transformá-las em realidade. E sobrevêm assim os desencantos, a inação, o pessimismo.

Presta atenção ao que te moves e descobrirás uma ânsia de milagre no âmago de teus processos criativos. A instantaneidade não é característica própria da realização de ideais.

Quando se percebem novos mundos, pelas vias da imaginação, eles estão a anos-luz de distância do observador. Atraí-los para o mundo real demanda esforço às vezes extenuante e, no caso do ser humano, exige restringi-lo às dimensões de tempo e espaço para torná-lo identificado com esse tipo de realidade.

Adejar nas asas da imaginação, por si só, é uma grande conquista. Horizontes diferentes são visitados, perspectivas reveladoras são encontradas, mistérios são desvelados. Em certo sentido, para o mundo humano, é viajar para um futuro ainda distante, às vezes impensável. Traduzir em linguagem do cotidiano é trabalho desanimador, pois a correspondência é precária. Construir o percebido no espaço fenomênico humano é tarefa hercúlea, porquanto os meios são incapazes, na maioria das vezes, de refletir cristalinamente o original.

Indague-se dos poetas se seus versos dizem plenamente de seu sentimento, inquiram-se os músicos se seus instrumentos transcrevem as melodias que lhes chegam pela inspiração, pergunte-se aos pintores se as tintas possuem os matizes desejados para expressar as cores da subjetividade, ou, ainda, entreviste-se um gênio da ciência para saber se os materiais de experimentação atendem a seus interesses, e serão recebidas respostas idênticas, refletindo a não correspondência entre o sonhado e o realizável.

Nada de novo, portanto, principalmente quando se trata de idealizações que envolvem terceiros, outras tantas pessoas com percepções próprias, ritmos de vida diversos, histórias evolutivas variadas e problemas de autotransformação em estágios diferentes.

Muito difícil sincronizar vibrações da alma e seus ritmos de desenvolvimento e captação de ideais, pois cada um é matéria-prima em estágio diverso de qualificação.

Não se pode exigir a sincronia desejável, porquanto é inapropriado padronizar os resultados, a partir de tão díspares contingentes humanos.

A multiplicidade de opções pode ser aproveitada, nela injetando diferentes graus da essência do ideal. Como um pedagogo atilado, atua, levando a cada um a mensagem possível de ser aprendida, deixando para si próprio e para uns poucos, quando for possível, a integralidade do ideal.

Ao sonhador compete realizar em si mesmo a experiência utópica, para torná-la compreensível e assegurar-lhe a força da vivência, no momento de sua divulgação.

A sabedoria lhe ensinará que sua experiência é única, singular e irrepetível, pelo menos nos seus pormenores, pois que se trata de uma vivência pessoal moldada pela sua biografia evolutiva.

Não se turbe o teu coração, portanto, quando os fatos desmentirem a viabilidade momentânea da utopia e as pessoas que acorreram a escutá-la, jurando identificação, desaparecerem na primeira esquina de dificuldades. Nada é em vão no mundo fenomênico. A semente morrerá mergulhada no solo, por tempos variáveis, até que ressurja no desabrochar da planta.

É lei da vida que os ideais sofram a rejeição natural por pertencerem a outra realidade, mas é também determinação cósmica que, como representantes de um estado evolutivo superior, mais dia, menos dia, <u>tornem</u> ao mundo que os rejeitou, para serem <u>aclamados</u> como verdade comum e solução natural para os problemas. É assim que se processam os grandes progressos na ordem universal.

Ainda que seja cansativo encontrar-se na <u>faina</u> de transformar ideais em realidade e vê-los distorcidos – quando comparados com as percepções originais –, e se sentir como <u>Sísifo</u>, repetindo passos, é preciso recordar que o ser assim se <u>impregna</u> de novas vivências, encontra autorrealização e liberta-se da <u>monotonia</u> e da pobreza das realidades comuns.

Ainda que nenhuma utopia se realize, nunca se deve esquecer que nada de grandioso, ou pelo menos de superação da mediocridade, se faz, caso não haja uma utopia a dar <u>alento</u>.

Mãos à obra sempre! Sê sempre o escravo de teu sonho, o trabalhador incansável de teu ideal, o realizador criativo de tua aspiração, pois essa é a missão dos que querem, por vontade própria, agir como cocriadores do mundo. Não fazê-lo é candidatar-se à <u>estase</u>, à insatisfação, ao <u>desalento</u>. Mais importante que alcançar metas é construir-se enquanto se procura atingi-las.

Prossegue, portanto.

Mãos à obra sempre! Sê sempre o escravo de teu sonho, o trabalhador incansável de teu ideal, o realizador criativo de tua aspiração, pois essa é a missão dos que querem, por vontade própria, agir como cocriadores do mundo. Não fazê-lo é candidatar-se à estase, à insatisfação, ao desalento. Mais importante que alcançar metas é construir-se enquanto se procura atingi-las. Prossegue, portanto.

Índice Geral

© 2018 by InterVidas

| DIRETOR GERAL | DIRETOR EDITORIAL |
| Ricardo Pinfildi | Ary Dourado |

CONSELHO EDITORIAL

Ary Dourado, Julio Cesar Luiz,
Ricardo Pinfildi, Rubens Silvestre

DIREITOS AUTORAIS

FEEB – Federação Espírita do Estado da Bahia CNPJ 15 171 754/0001–81
Rua Coronel Jaime Rolemberg, 110 Brotas 40 279–140 Salvador BA

Fundação José Petitinga CNPJ 07 557 924/0001–32
Largo do Cruzeiro de São Francisco, 8 Centro 40 020–280 Salvador BA

DIREITOS DE EDIÇÃO

Editora InterVidas (Organizações Candeia Ltda.)
CNPJ 03 784 317/0001–54   IE 260 136 150 118
Rua Minas Gerais, 1520 Vila Rodrigues 15 801–280 Catanduva SP
17 3524 9801   www.intervidas.com

DADOS INTERNACIONAIS DE CATALOGAÇÃO NA PUBLICAÇÃO (CIP BRASIL)

P379b

PEIXINHO, André Luiz, 1951–.
  As bem-aventuranças e outras belezas espirituais / André Luiz
  Peixinho. – Catanduva (SP): InterVidas, 2018.

  176 p. : il. ; 15,5 × 22,5 × 1,2 cm

  Inclui índice geral

  ISBN 978 85 60960 18 7 (premium)
  ISBN 978 85 60960 19 4 (especial)

1. Evangelho.   2. Espiritismo.
3. Vida cristã.   4. Sermão da Montanha.
I. Título.

CDD 133.9   CDU 133.7

1.ª edição premium e especial | agosto de 2018 | 10 mil exemplares

C O L O F Ã O

TÍTULO	*As bem-aventuranças e outras belezas espirituais*
AUTORIA	André Luiz Peixinho
EDIÇÃO	1.ª premium e 1.ª especial
EDITORA	InterVidas (Catanduva SP)
ISBN	PREMIUM: 978 85 60960 18 7
	ESPECIAL: 978 85 60960 19 4
PÁGINAS	176
TAMANHO MIOLO	15,3 × 22,5 cm
TAMANHO CAPA	15,5 × 22,5 × 1,2 cm (orelhas de 9 cm)
CAPA	Ary Dourado
REVISÃO	Beatriz Rocha
PROJETO GRÁFICO	Ary Dourado
DIAGRAMAÇÃO	Ary Dourado
NOTAS VOCABULARES	Ary Dourado
ÍNDICE	Ary Dourado
TIPOGRAFIA TEXTO	Garamond Premier Pro 13/16
TIPOGRAFIA TÍTULO	Butterfly Waltz 45/40
TIPOGRAFIA OLHO	Trajan Pro Bold 13/16
TIPOGRAFIA NOTA	Proxima Nova Bold 7,5/10
TIPOGRAFIA ÍNDICE	Garamond Premier Pro 10/14
TIPOGRAFIA CAPA	Butterfly Waltz, Trajan Pro
MANCHA	103,33 × 162,5 mm, 28 linhas
	(sem título corrente e fólio)
MARGENS	17,2:25:34,4:37,5 mm (interna:superior:externa:inferior)
COMPOSIÇÃO	Adobe InDesign CC 13.1 (Windows 10)
PAPEL MIOLO	ofsete IP Chambril Book 90 g/m²
PAPEL CAPA	papelcartão Suzano Supremo Alta Alvura 300 g/m²
CORES MIOLO	2 × 2 – preto e ciano escala × preto e ciano escala
CORES CAPA	PREMIUM: 4 × 1 – CMYK × ciano escala
	ESPECIAL: 4 × 0 – CMYK
TINTA MIOLO	Seller Ink
TINTA CAPA	Seller Ink

PRÉ-IMPRESSÃO	CTP em Platesetter Kodak Trendsetter 800 III
PROVAS MIOLO	HP DesignJet 1050C Plus
PROVAS CAPA	HP DesignJet Z2100 Photo
PRÉ-IMPRESSOR	Lis Gráfica e Editora (Guarulhos SP)
IMPRESSÃO	processo ofsete
IMPRESSÃO MIOLO	Heidelberg Speedmaster SM 102 2P
IMPRESSÃO CAPA	Komori Lithrone S29
ACABAMENTO MIOLO	cadernos de 32 e 16 pp., costurados e colados
ACABAMENTO CAPA	PREMIUM: brochura com orelhas, laminação BOPP fosco, verniz UV brilho com reserva
	ESPECIAL: brochura com orelhas, laminação BOPP fosco
IMPRESSOR	Lis Gráfica e Editora (Guarulhos SP)
TIRAGEM	10 mil exemplares (premium e especial)
TIRAGEM ACUMULADA	10 mil exemplares
PRODUÇÃO	agosto de 2018

InterVidas

‖ viva além! ≫